费曼学习法

用输出倒逼输入

尹红心
李 伟 —— 著

FEYNMAN TECHNIQUE

江苏凤凰文艺出版社
JIANGSU PHOENIX LITERATURE AND
ART PUBLISHING

图书在版编目（CIP）数据

费曼学习法 / 尹红心，李伟著 . —南京：江苏凤
凰文艺出版社，2021.3
ISBN 978-7-5594-5491-1

Ⅰ.①费… Ⅱ.①尹… ②李… Ⅲ.①学习方法
Ⅳ.① G442

中国版本图书馆 CIP 数据核字（2020）第 244926 号

费曼学习法

尹红心　李　伟　著

责任编辑　李龙姣

出版发行　**江苏凤凰文艺出版社**

　　　　　南京市中央路 165 号，邮编：210009

网　　址　http://www.jswenyi.com

印　　刷　唐山富达印务有限公司

开　　本　880 毫米 ×1230 毫米　1/32

字　　数　130 千字

印　　张　7

版　　次　2021 年 3 月第 1 版

印　　次　2021 年 8 月第 8 次印刷

书　　号　ISBN 978-7-5594-5491-1

定　　价　45.00 元

江苏凤凰文艺版图书凡印刷、装订错误，可向出版社调换，联系电话 025-83280257

高效能的学习既是有趣的，同时它的方法也是有迹可循的。

——费曼

STEP FOUR

输出是最强大的学习力

STEP FIVE

回顾和反思

STEP SIX

简化和吸收

前　言

我们时常会有一种困惑：为什么耗费了相当多的精力，认真地学到了很多的东西，我就是记不住也不会使用它们呢？换言之，从"高付出"的学习中，我们有时得到的却是"低效能"。这真令人失望。

以投资理财为例。不久前，我的一位朋友想投身于股票市场，买了一堆专业书籍埋头苦读，学习这方面的知识，确实也了解到了许多投资的规则和操盘的技术。他踌躇满志地想实践一番，但是过了一段时间后发现，并不是他学到的知识有问题，是自己的应用不对。他好像什么都懂了，做起来却一塌糊涂；他学了很多，又好像什么都没学会。

"是书教错了，还是我学错了？是哪个地方做得不对呢？"他感到迷惑，"如果知识派不上用场，学习还有何意义呢？"

这像极了我的一些学生的思想经历。他们努力地学，在课堂上和课堂外都学得很多，但学到的东西好像又百无一用。一位学生比喻说："学了那么多，一落地就'见光死'，简直学成了一个书呆子。"这让我想到天空飘着的云彩，漂亮而令人神往，可是永远也不能化为我们手中的实物。有些学习的效果就像为自己赢得了中看不中用的"天空之云"。

这是因为，我们大多数人在学习中使用传统方法得到的仅仅是由文字和数字拼成的"纸面知识"，仅是一种技术效率，没有经过大脑的深度处理并成功地转化成自己的智慧或技能，缺乏认知效率。就是说，虽然付出了学习的过程，储存了知识，却仍然不具备输出（应用）这些知识的能力。

这个论断不仅针对一般意义上的阅读，也包括职业培训、进修、团队集体充电等更为复杂的学习。走出学校你会发现，这种"学而不用"的情况比比皆是，大部分的学习纯属虚度光阴。

还有一个原因是"被动学习"。比如我们在学校，学生在老师的安排、督促下被动地学习知识。为了应付考试，学生机械式地背诵，做题，与时间赛跑，进行各种强化训练，大量的知识没有时间进行深度处理就被拿出去在考场上验证。高强度的被动学习在短期提高了人们的知识储备量，反映在考试成绩上是很棒的。但在知识的实际应用上依然处于初级的阶段。所以，刚走出校园的年轻人尽管知识渊博，在实践上却不得其门，花很长的时间，付出很大的代价，才能将学到的东西转化为工作的能力。

高效能的"费曼学习法"

物理学家费曼的一生有着足以铭刻史册的学术成就，他也因自己独特的教学方式广为人知，深受推崇。在大学教授物理学时，他总是能够深入浅出地将复杂的专业理论讲得通俗易懂，无论多么抽象、晦涩的概念，都能用非常生活化的例子表达出来，风趣幽默，一点也不枯燥。学生喜欢上他的课。后来，越来越多的人便采用他的这种方法学习，最终形成了人们众所周知的"费曼学习法"。

它的核心是——当你准备学习一门新知识时，必须站在传授者的立场，假设自己要向别人讲解这门知识。那么你一定要用最简洁、清晰和易于理解的语言表达出来，才能让行外的人也能听懂。费曼说："最好是几岁的小孩也能明白你在说什么。"为此，他制定了一个简单易行的流程：

第一，确立你要学习的目标。找到和列出自己想要了解的知识，可以是一本书，也可以是一门技术，甚至是你能想象到的任意领域和事物。

第二，理解你要学习的对象。针对这个目标，准备好和筛选相关的资料，选择可靠和多个角度的信息来源，把这些内容系统化地归纳整理出来。

第三，以教代学，用输出代替输入。模拟一个传授的场景，用自己的语言把这些知识讲给别人，用以检查自己是否已经掌握了这些知识。

第四，进行回顾和反思。对其中遇到阻碍、模糊不清和有疑义的知识重新学习、回顾和反思。如有必要，可以重整旗鼓，进行再一次输出。

第五，实现知识的简化和吸收。最后，通过针对性的简化和整合，实现这些知识的内化和有效的应用。

通过这五个步骤，我们很容易便能获得最高的内容留存率，加强学习的效果，让自己顺利地达到学习和输出知识的目的。在本书中，我们围绕费曼的学习思想和他的教学经验，对这五个步骤的要点、原则和应用的场景进行了全方位的解读。

我在书中重点强调的是，学习和应用是互为一体的，无法对外输出的学习就不能称为学习。这是我对自己的学生、读者和年轻人的希望之一，阅读本书，学习费曼的思路，是要让我们拥有出色的应用知识的能力，能够输出知识，创造知识，并用知识改造世界。

学习的目的是输出

在书中您会看到，费曼学习法亦是对"学习本质"的回归，也是对我们思维和分析方式的一次彻底改造。我们知道，人们大部分的学习都是为了理解一个新的事物，或者吃透一个新的发明。但新的事物并非无中生有凭空地出现，而是建立在大量的旧事物的基础上。就像一则物理学原理：物质不会凭空出现，也不会凭空消失。知识也是如此。我们的大脑将旧的信息或知识串联、拼接起来，组成新的概念、理论和信息，再传递到负责记忆和行动的部门，转化为具体的成果或知识。

大脑这种富有联想力的运转方式塑造了两种根深蒂固的学习模式：

第一，越熟悉的概念，大脑越喜欢。"相关性"是大脑学习和记忆的主要原则。就像餐桌会让大脑想到吃饭和厨房，不会想到公交卡和伐木工厂，漂亮的裙子会让大脑想到美女和爱情，不会想到纸箱和钥匙一样。大脑在最具相关性的物品间建立连线，产生一张由旧信息组成的知识之网。

第二，在不同的概念之间强行建立联系，也是大脑的特长。这是我们与生俱来的创造性的功能，大脑会为一切可以对比的事物进行匹配，以便建立一个合理的解释。比如，看到餐桌，大脑可以想到美女，再想到一杯咖啡，一栋房子，一个家庭，乃至幸福的一生。在不同的事物、概念和场景之间，大脑能创造性地建立联系，做出新的解释。假使经过训练和开发，它将为我们带来新的知识，产生新的能力。这是我在书中的另一个希望。

当大脑长时间地习惯于第一种学习模式时，对新知识的创造力就会受到抑制。我们总会刻意地寻找一些旧的解释，回避那些新奇但有效的观点。越专业的学习越容易显示出这种问题，大脑会沉迷于组装、兜售旧概念的无聊游戏之中。输入的信息越多，它所装载的知识也越发得庞杂无效，学习便成了一种无趣。

比如，当你学到一种新的写作风格时，第一时间就会从自己已经知道的那些作家中进行对比；你从他们中间挑选出一个与自己最接近的风格，然后建立一种也许是勉为其难的联系。你像他，于是学习他。如果探索的过程到此为止，你对自己的写作风格便很难有原创性的、更吸引人的描述。你的创作会一直停留在这个模仿的阶段。

解决这个问题的最好方法就是学会输出，激励我们的大脑更多地使用第二种模式。输出会把你的角色颠倒过来。在输出知识的过程中，你可以站在另一个"自我"的角度审视这些内容。那个"自我"是知识的讲解者，你由此获得了一个检验自身学习成果的机会。你要把学到的东西有逻辑、有结构地传达出来，看看它是否具有吸引力和传播力。如果你自己和别人都没有听懂，也不觉得多么有用，那它怎能称得上是已经被学到的知识呢？知识的输出越多，我们对于陌生事物的联想就越丰富，学习的创新性就越强，最终成功地突破旧知识的框架，得出有价值的新知识。

如前所述，人类所有的新知识，其实都是由旧的知识构成和解释的。我们获取新知识的过程，本质上便是通过大脑的有机联想，将新的概念插入到旧的体系中，再在动态的学习中将之转化成一个合乎逻辑的富有张力和强劲生命力的知识系统。这就是为什么费曼主张用"以教代学"的输出模式来进行学习的原因。

费曼认为，输出不仅仅是学习的最佳方式，同时也是学习的终极目的——当我们要学习一种新知识时，用最直白的语言去阐述它时，大脑就会从记忆库中提取那些熟悉的信息，在旧的知识和新的概念中产生强大的关联，新的知识便容易得到大脑彻底的理解。最重要的一步是，你要反复地进行这一过程，使大脑多进行创造性的联想，我们对新知识的吸收和应用的能力才会变得更强。

本书的要点

在本书的第一部分，我们首先介绍了学习的本质和现实的难点，并且详细阐述了费曼分析法的核心要素、思维模式和主要步骤。对于不同场景下的应用和成果，我们也列举了大量的案例，尤其适合今天互联网时代和信息化背景下的学习。

本书的第二部分讲述了运用费曼分析法的第一步：如何确立和锁定学习目标。选择要掌握的知识只是学习的第一个环节，同时，书中还讨论了怎样验证学习一门知识的必要性，这能帮我们确立学习的逻辑，找到相对正确的方向。对于想在各个领域有所建树的读者来说，这都是一个非常重要的问题。

本书的第三、四部分深入讲解了理解一门知识的技巧和以输出代替输入的学习方式。这两部分的内容也是费曼分析法的核心。将我们要学习的知识系统化是一项并不是想象中那么轻松的工程，费曼提供了筛选和将知识系统化的原则。在第四部分，我们用非常翔实的内容为读者展示了以教代学和输出式学习的方法，其中很多的案例都极具参考性。我们对比了不同行业、年龄段和职业群体的学习模式，提出了实用性的建议。

本书的最后两部分是费曼分析法中如何回顾与简化知识的两个步骤。通过对于知识输出过程的回顾，我们可以从中发现自己的弱项，重新理解和解决学习中的难点，进行再一次输出。在这个重复的过程中，我们便有效地掌握了这些知识；通过简化，我们能够对已经学到的内容进行提炼总结，顺利地完成知识的内化，形成我们自己的知识体系，最终完全达到学习的目的。

学习的本质

STEP
ONE

 关键词：思维

费曼学习法是一种顶级的思维方式，它能帮助我们真正掌握一门知识，因为它揭示了学习和思考的本质。

第一章　掌握一门知识有多难

我的好朋友、国内一家商业机构的高管唐先生，他的儿子小唐今年 25 岁，即将从美国普林斯顿大学毕业。在一次聚会中，谈到"未来发展"的话题，小唐十分干脆地拒绝了父亲的安排，向大家宣布他将自己成立一个小型团队，投身于国内的环保产业，而且他已为此做好了充分的准备。

引起我注意的不仅是小唐的傲人成绩和早熟的职业规划能力，还有他的学习方法。从中学开始，小唐就拥有自己的学习小组，每个学习小组都代表了不同的兴趣和方向。比如：商业管理小组，证券投资小组，IT 技术小组，还有科学理论和环保知识小组。他与不同的老师和同学在小组中做针对性的讨论，了解这些领域是否合乎胃口和兴趣，储备相关的知识。

但到了大学时，他的学习小组只剩下了两个：环保和商业管理。他不准备子承父业，通过 5 到 8 年的学习，他认为自己的兴趣是环保。即使在商业管理方面也积累了出色的能力，或许仍然可能涉足于此，也只会是一条帮他赚钱的渠道，而不是他今后的主业。

小唐的这种学习方法与传统的学校模式迥然有异。他有目的地主动学习，在小组讨论的基础上不断地接触新信息，总结分析，消化吸收，再做出选择。这和本书倡导的费曼学习法一脉相承。

唐先生感慨地说："我们那代人的学习是工业化的，就像一件流水线上的产品，没多少选择。因为那时信息少，知识面狭窄，我们只是去学习必须掌握的东西，然后再走一条别无选择的道路去运用这些知识。可是现在不同了，你能想象一个普通的行业也有几百种选择吗？学习不再是那么简单的事情。"

两种学习，你是哪一种？

在今天这个时代，**学会一种新游戏越来越容易，可掌握一门新知识却越来越难。**为什么大部分人学而不得？传统的学习方法是我们大多数人正在使用的方法，它具有三个特点。第一，以输入为主。死记硬背，或叠加阅读量，量变达成质变。第二，教条主义。盲目崇信书上的理论或框架，视野狭窄。第三，标准化应用。严格按照学到的知识去实践，遇到问题生搬硬套，缺乏创新。

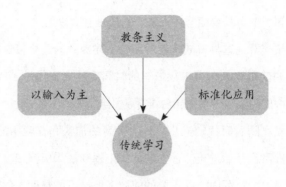

以输入为主——死记硬背。优点是能在短时间内积淀尽可能多的信息，学到大量的知识点。缺点是内容留存率低，今天记住的东西过几天便"十不留三"。

教条主义——老师/书上说什么就是什么。优点是节省接受知识的时间，不加以怀疑地全盘接收一种理论或知识点。缺点是屏蔽了其他的可能性，缩小了自己的视野。

标准化应用——生搬硬套。优点是快速和高效地将学到的知识落地，前提是必须碰到一个与所学理论彼此匹配的场景。缺点是因为缺乏变通而导致的水土不服，一旦与所知所学条件有异，或场景变换，知识就无法落地。

提到传统的学习思路，我们第一时间就会想到机械式背诵这种方法，它是输入式学习的强力工具，也是在家庭和学校教育中被广泛采用的一种思路。中学时代，在高考前为了学好英语，有几个人没有彻夜朗读和疯狂地背诵过单词呢？我当年的一位同学曾经每晚读、背到凌晨，连续坚持两个月，最终发烧入院。为了背唐诗，小时候我也曾经头昏脑涨。幸运的是，在那些适合重复记忆的知识上，只要能坚持下来，它还是有效果的。

机械式背诵这种方式就非常契合上述提到的三个特点，**它的唯一目的就是输入**，追求在最短的时间内让人记住最多的知识，然后在考试的场景中过关（标准化应用）。

但是，随着时代的进步、社会节奏的加快和互联网的发展，学习这件事也开始进化。过去的方式正逐渐暴露出弊端，它仍然承担着学习的过程中一些重要的使命，但已不能帮助人们仅依靠传统的学习方法便让自己成为"**新时代的知识精英**"。

小唐的成功是另一种学习：用时少，效率高，结果好。他的父亲唐先生无疑是现代社会的知识精英，小唐本可以沿着一条传统的学习之路，便可轻松地承袭父亲80%的资源。但他考虑得更长远：

假如我失去父亲的庇护，我的学习还叫"学习"吗？我学到的成果是否是真正有价值的"成果"？

我们从英语角、汉语角这种形式中也能看到更好的学习思维的影子。对话，与任何一个可能的人对话，阐述你对一门或多门知识的见解，难道不是一个更好的、印象深刻的方法吗？和学习小组类似，体现了学习的最终本质应该是输出而不是输入。当你将输出作为输入的辅助工具时，学习的效果可以立时提升百倍。我一直认为，升级自己的思维，明确好方向，学习就从来都是一件很简单的事情。

"在线学习"是费曼学习法得以贯彻的一种体现，亦是一个重要的应用场景。当你独自一人面对一台电脑和浩瀚无际的互联网信息时，老师起到的作用是微乎其微的，你如何快速汲取到自己需要的知识？怎样验证所学知识的有效性？你是否清楚这些知识点的问题所在？如何自律、拟订计划和做好时间管理？传统思路在这时遇到了不可逾越的壁垒，我们必须对自己来一场学习变革。

好消息是，只要找对了方法，学习就没有那么难！

与真实的世界建立有效联系

我们还需要明白了解知识、掌握知识的目的。

认真想一想，你为什么要掌握一门知识呢？难道只是为了把它解构出来写进笔记，整理成万能公式，在考试中得一个满分吗？那次聚会上，我和小唐聊得非常愉快，看到了更多让我惊讶之处。小唐对于知识的理解比同龄人明显高出了好几个层次。

他说："掌握知识很难，罪魁祸首是人的学习惯性，我们天生以为学习就是去一张纸上画出未来，好像知识对当下是无用的，对未来才是无价之宝。学习一门知识是为了建设自己的未来。这个设想大错特错。"

　　这句话让我想起自己的中学和大学时代，那时我和周围的同学的确都有这种想法，包括老师在内。大家脚下踩着一片云，喜欢向上看，很少向下看。我们会想：没人喜欢学习，人性是懒惰的，学习是反人性的事情。为什么我要如此努力？因为我们要让自己的未来获取竞争优势，增加就业的竞争力。有些心灵鸡汤也告诉你："终有一天，你会感谢现在努力的自己！"所有励志语言的指向都是未来，好像只要你今天掌握了一门知识，明天你就一定能够成功。

　　你的中学班主任会站在讲台上谆谆教导："你们学习是给我学的吗？不是！是给父母学的吗？也不是，是给你们自己学的！今天少背一个单词，少做一道习题，明天就差别人一个阶级！"

　　你的父母恨铁不成钢："假期过一半了，你还在划水！看看邻居家的小周，读书比你刻苦，成绩比你好，现在还能和你称兄道弟，等大学毕业找个好工作，他还知道你是谁？今天不认真学，明天就要去搬砖！"

　　久而久之，你的大脑中形成一个固定的模式：学习是要改变将来的命运，是为了出人头地。潜台词则是：学习改变不了今天。在这种思维的主导下，学习成了一种沉重的使命。把学习看得越严肃，掌握知识就越难。

　　可事实真的是这样吗？

　　答案是：NO！

　　真正高质量的学习，一定能够让人融入真实的世界。学习最重要的是"真实"，它必须让人可以与时代同步，理解身边正在发生的一切，促进我们对知识的运用和创新。换言之，通过学习，我们要与真实的世界建立有效的联系。这些年来，我所见过的优秀人才，他们在学习一门知识时从来不会用它构画一个虚无的将来，而是专注地将知识与现实场景紧密地结合。读懂这句话，对理解费曼技巧会有很大的帮助。

从对知识的学习中获取竞争优势固然是必不可少的——我们永远不能否认这一点，但是，当你掌握一门知识的目的只是要在某些方面超越别人时——这种想法越强烈，你的起跑线就越远，学习的难度就越大。只有将学习从功利性的导向中收回来，专注于如何吃透一门知识，怎样让这些知识在今天就可以让自己变得更好，你才能真正地提高学习能力。

提高学习的能力，比学到一门知识更重要。

远见·穿透力·智慧

费曼认为，好的学习方法能够为一个人创造宏大的视野和对世界犀利的理解力。在我看来，费曼学习法为我们提供的是三种与众不同的能力：

第一，远见

通过解读知识传递给我们的信息，判断未来的趋势，而不是仅仅记住这些信息。

第二，穿透力

通过费曼分析技巧，从碎片化的知识中看清事物的本质，快速解决问题，掌握事物的规律。

第三，智慧

通过以输出的方式浓缩、重演知识，汲取精华，使知识为我所用，和环境相匹配，形成自己的知识体系。

我经常对自己的孩子说："我现在让你学习钢琴，学习写作，不是为了让你记住几个乐符和写作技巧，如果仅此而已，你一定觉得很累。我希望你从练琴和写作的过程中掌握学习的方法，从音乐和文字中收获不一样的体验。比如对乐曲和语言的理解能力，到将来你需要在这方面做出选择时，你的见识比别人多，会有更多的选择机会，而不是别无选择，更不是毫无选择。"

我推荐学生阅读费曼的书，了解学习其实是一件多么有趣的事情。前提是他们必须深刻地明白学习是为了让自己获得什么。**学习，究其根本是思维方式的比拼，不是知识存储的较量，也不是学位的竞争。**

年轻人需要变革学习理念，已经功成名就的中年人难道就不需要吗？不久前，我与一位多年的老朋友吃饭，谈到职业发展这个话题，他忧虑地说，自己从 20 世纪末参加工作到现在，一直做技术研发，现在明显感到体老力竭，身体再不能像年轻人那样加班，也不能很快地学会日新月异的新技术。他的竞争力在衰竭，根源其实是学习力在下降。想改变这种局面，就要拥有新的学习思维。

大部分人都处在社会金字塔的中下层，无论你是否同意，这是一个残酷的现实。只有获取更强大的学习能力，我们才能更好地开发自我，在社会的金字塔结构中争取一个有利的位置，否则就会滑向社会的底层。这不是由你学到的知识量决定的，而是由你学习、掌握、理解并运用知识的能力决定的。因此，学习不单单和知识有关，还与我们的思维方式息息相关。

第二章 何为"费曼学习法"

理查德·费曼对华而不实的东西毫无兴趣，这位不拘小节的物理学天才对知识的理解到了一种收发自如的境界。他可以轻松地向任何一个人解读最复杂的知识，并且保证对方能够听懂。当我第一次接触到费曼的学习体系时，便立刻意识到这正是中国的年轻人最需要的。我也积极地在课堂和在线教育中推荐给自己的学生。

正如第一章讲到的，在越来越快的社会节奏和海量的信息影响下，掌握一门知识相比过去变得更困难了。和 20 年前比起来，我们的时间不再充足，信息来源过于丰富，信息本身也真假难辨。在学习时，很难短时间内吸收、消化太多的信息。就像做饭一样，我们需要 10 分钟内从繁杂的食材中找出自己感兴趣的材料，再按食谱做一顿符合口味的佳肴，还要把它吃下去。这太难了，不是吗？这正是互联网社会的副产品，它的超快节奏对几乎所有的事情都提出了考验。互联网不但让知识碎片化，也肢解了我们的思维。

现在，你很早就要去上班，挤地铁，或在蠕动的车流中耗费时光，一线城市的地铁拥挤嘈杂得让你没一点学习的心情；到了晚上，往往 10 点才能从工作中解放出来，有了一点空闲可以安静地独处，这时身体又提醒你该休息了。一天下来，读书的时间很少，精力也严重不足。传统方式又能在这种条件下帮你学到多少有益的知识呢？

即便你爆发小宇宙，从时间手里抢时间，每天能够挤出三两个小时，学习的效果可能也差得让人不忍目睹。这就是为什么费曼学习法正日渐成为全球创新组织和青年精英的第一选择，它简单有效的学习思路可以应对当下及未来我们对各类知识的需求。因为它不但节省时间，还在有限的时间里提供了最高的学习效能。

迷人的"费曼技巧"

作为著名的诺贝尔奖物理学家，理查德·费曼非常理解"**记住知识**"和"**了解知识**"之间的差别。这也是他成功最重要的原因之一。费曼在研究和教学的过程中创造了费曼学习法（也被称为"费曼技巧"），确保了他比别人对于事物的了解更为透彻。

> "你要爱上学习，就要让学习像讲一则故事那么简单。"
>
> ——费曼

费曼学习法的内涵就是这么迷人：它重新定义了学习的本质，学习不再是枯燥的书写和记忆，而是和讲故事一样简单！运用费曼的学习技巧，我们只需要花上 20 分钟就能深入地理解一个"知识点"，形成深刻和难以遗忘的记忆。要知道，知识是区分为两种类型的，大部分人关注的其实是错误的那一类，即只是记住了知识的名称。比如，一个公式，一个概念，一个原则，一个数据，一个现象，一个事件。把它们记下来并不代表你真的学到了这些知识，哪怕倒背如流，你也只是将它们存储了下来而已。这种行为配得上一声鼓励，但不值得击节称赞。

正确的学习是，我们了解了这些知识的内核，知道它们是怎么回事；我们也可以从自己的视角重新解读它们，并且向外传播，让更多的人知道。这两者绝非一回事。

为了实现这个目的，费曼学习法提供了四个关键词：Concept（概念）；Teach（以教代学）；Review（评价）；Simplify（简化）。在这个基础上，本书提炼总结出了五个步骤：

确立目标；理解目标；输出；回顾；简化。通过这五个步骤，我们能够充分地将费曼"以教代学"的学习方式开发到最高的效率，吸收有用的知识，创造自己的知识体系。

通俗地说：验证我们是否真正掌握了一种知识，就看能否用直白浅显的语言把它讲清楚。无论它多么复杂，都可以让一个从未接触过这个知识的旁观者听明白。

当费曼学习法受到人们的关注和被推广开来时，受到了广泛的欢迎。费曼不仅重新定义了学习，也改变了全球数百万人的学习思维，成为了精英课堂的必备工具。事实上，不仅是学习，工作也能用得到，而且效果显著。比如，有数十所世界级大学与跨国企业联合开展的培训中运用了费曼学习法，很多创新型公司的CEO和高管从中受益。迄今为止，我们能在很多知名人物的演讲中看到费曼学习法的影子，他们一边学习和成长，一边用输出的方式将学到的内容普及给受众，产生了良性的正反馈。

简单高效的思维模式

为什么费曼学习法具有这么大的魔力呢？因为它是对人的思维模式的深度改造。也许你可以不学习，但你无法不思考。它也并不是有些人声称的"专家学习法"——具备一定的理论和实践基础才能如臂使指，实际上，即使对某些领域一无所知的新人也能借助费曼学习法使自己的知识水平迅速上一个台阶。

第一，好的思维需要正反馈。

思维方式的选择是无论个人还是组织在解决问题时都会遇到的问题。我们都知道，成功的个人和组织总是擅长系统性地思考，其中一个很重要的概念就是"正反馈"（也叫"放大反馈"）。它如同一个增长的引擎，是一个驱动系统加速发生变化的过程，可以在思考的过程中实现"自增强"。费曼学习法为我们的思维提供的便是正反馈，能够促进知识和能力在学习中的自增强。

比如，我每天锻炼身体，跑步，健身，能够让我感觉良好。我会向朋友介绍我的锻炼经验，然后继续坚持锻炼，总结出更好的健身方法，于是我的感觉越发良好。这便是一个正反馈。我们向团队成员分享一个技术信息、工作经验，能够活跃沟通的氛围，良好的沟通氛围能够激发员工的思考积极性，努力学习并踊跃地实践，再加入讨论，共同输出更多高质量的经验，这也是一个正反馈的过程。重点是你不要独自钻研和学习，要多和外界互动。

第二，输出加快思考的成熟。

美国科学作家罗伯特·莫顿（Robert K.Merton）在 1968 年提出了著名的"马太效应"：**"任何个体、群体或地区，一旦在某一个方面（如金钱、名誉、地位等）获得成功和进步，就会产生一种积累优势，就会有更多的机会取得更大的成功和进步。"**它表达的内涵是，只要我们在某一个领域获得了一点优势，就可以不断扩大这个优势，成果也会越来越大。

费曼学习法的作用就是一种马太效应。在对某个知识的学习和思考中，一次成功的输出也会同时增强输入的能力，从而使得下一次输出的成功可能性更大，下一次取得的成果又会促进再下一次的学习和思考，壮大自己的知识体系和应用能力，加快思考的成熟。

举个简单的例子，当你阅读一本科普著作，怎样的方式最有利于快速和深刻地理解这本书的内容呢？传统的方法是重复阅读，同时检索资料加深理解。十几年前，为了读通英国物理学家斯蒂芬·霍金的《时间简史》，我花费了两年的时光，对比阅读了七八种书籍，查证了上千个术语和公式。这当然是一个严谨的途径，效果也不错，但在今天实在太慢了。你不可能在一本书上投入这么长的时间。

还有一个办法就是费曼的思路，为自己准备一份阅读笔记，抽离它的核心内容，然后一边通读，一边向别人阐述这本书的主要观点。这些观点分别归纳为不同的问题，每个问题都有一个"霍金式答案"——还有你的个人理解，你要讲给别人听。在输出的过程中，你想学到的东西也在向大脑输入。这是一个爆炸式的、积极的化学反应，你会发现时间被大大缩短，过去通读五遍才能理解的内容，用这个方法只用两遍，即整理、输出和复述、简化。在加快记忆的同时，学习的质量也得到了提升。

第三，费曼学习法让思考可以量化。

我们对任何问题的量化思考都体现在六个方面，每个方面都能用到费曼技巧。

▲方向→锁定思考的主要方向。

将思考量化的第一步，是列出所有备用的方向，进行对比选择，锁定一个主要的方向。"方向"既是你应该重点解决的问题和环节，也可能是最有利于思考的突破口。军队攻击敌方阵地、技术人员开发产品、丈夫取悦妻子、父母教育孩子，都需要从备选中找出一个主攻方向。

▲归纳→确立思考的主要逻辑。

学生求解方程式，要确立一种算法；评判历史事件，要树立一个历史观和立脚点；我们思考问题，要有一个基本的立场、三观和逻辑；阅读和学习，哪怕是先入为主，也要有自己的分析方式。逻辑也可以量化，确立了自己的逻辑，就可以有针对性地收集、整理和归纳信息，不用"走一步看一步"。

▲验证→验证思考的效果。

在费曼技巧中，我们通过"输出"来验证自己学到的知识，也就是以教代学。我们也可以用它来帮助思考，把自己对于某个问题的见解（观点）和分析（为什么）阐述给别人，告诉对方自己的思路，可以起到很好的验证的作用。

▲反馈→反馈正确和错误。

我们用输出的方式验证自己的观点、论据和逻辑，从听众那里收取反馈，看他是否能理解和接受，并听一听对方的想法。在这个环节中，我们接收到两种信息。第一种是"正确"——对方的肯定；第二种是"错误"——对方的否定。根据这两种反馈，我们可以调整之前的思考，强化正确的内容，修正或删除错误的地方。

▲简化→把复杂的思考过程简单化。

这个环节就像制作一张缩略图或者一份简报，提炼出思考的要点，能一目了然地看清思考的目标、思考的逻辑、思考的结果，并能够三言两语总结出来，把这个过程变得易于理解。就像费曼技巧的简化环节。比如，在仅有 5 分钟的碰头会议中向客户讲清楚"为何需要设计一座双孔桥梁"或"该项目最佳的财务方案"。这就是把复杂的思考过程简单化，目的是让别人很快便能听懂。

▲吸收→消化思考的成果。

优秀的思考者总是有自己的思维体系，在最后一步，要将思考的成果消化吸收，转化为可以应用的内容。解决工作上的问题，处理学习中的难题，调和家庭或人际关系等，这些都是思考的结果。更重要的是，在思考的过程中逐渐形成自己简单高效的模式。越有力量的智慧实践起来就越简单！

费曼学习五部曲

费曼学习法共分为五个步骤，本书从第二部分开始，将详细地介绍每一个步骤的原则和具体的应用技巧。无论学习还是工作，甚至其他事项的思考，这些简单易行的步骤都能为我们创造十分可观的效果。

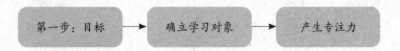

选择自己想要掌握的知识和技能，并且要真正地理解学习它的必要性，在这个前提下产生专注力。专注是一切成功学习的基础。

第二步：理解 → 理解要学习的知识 → 系统化地存优去劣

对我们要学习的知识、概念等进行归类、解构和对比，系统地理解这些内容，存优去劣，将我们需要的知识筛选出来，选择合适的方式进行学习。

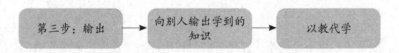

在一个需要向别人传授的场景中"以教代学"，向那些不熟悉该知识的人阐述你的见解，向他们解释这些知识，用他们能理解的方式及最简单的语言做到这一点。

第四步：回顾 → 回顾和反思学到的知识 → 深度分析

通过回顾和反思，从输出的过程中发现自己不能理解的地方，或者无法简单解释之处，记录下来，回到第二步，查看资料来源，弥补薄弱的知识点，或者修正错误的、不符合实际的知识点，直到可以进行再一次的输出。

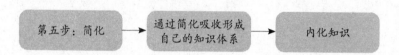

重复上面的步骤，不断地简化和吸收，直到这些知识内化为你的知识体系，能够为我所用。内化是一切学习的终极目的。如果不能将知识成功地转化为自己需要的东西，学习的质量就会大打折扣。

确立一个学习对象

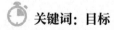 **关键词：目标**

选择想要掌握的知识和技能只是第一步，我们还要找到学习它的必要性和重要的意义，并且强化这种内在的联系。

第三章　我们为什么学习

　　我发现，离开学校这个场景后，督促孩子学习成了一件对所有的家长都非常困难的事情。有的家长告诉我，自己的孩子不但作业做不好，网课也没有效果，自主学习能力很差。还有的家长说，孩子在家庭这个生活氛围中找不到学习的感觉，父母亦不清楚该教他怎么去学。时间久了，学习变成了一件拖沓而枯燥的任务，他们非常焦虑。

　　主动学习比以往任何时候都更加重要，正如费曼所说，我们需要理解学习的意义，并且在这种意义中加强对于学习对象的认知，构建一种内在联系。他说："要对学习做简单化的理解，就像做一个好玩的互动游戏一样，别想得太复杂，因为知识本身就没那么复杂。"和第一章不同的是，我们在本章将着重阐述费曼学习法的第一个步骤——当你希望掌握一门知识和技能时，怎样正确地树立目标？当锁定目标以后，又如何发现学习它的必要性和它为我们带来的重要意义？

现实中，人们大部分场景下的学习都处于一种"无意识"的状态。它表现为两种典型的特征：

第一，老师/父母让我学什么，我就学什么（服从式学习）；
第二，就业/培训需要学什么，我就学什么（工具式学习）。

在无意识的学习状态中，你会感觉到自己不停地学习新知识。你从不浪费时间，也极少敷衍应付，但对知识却浅尝辄止，难以深入，甚至记不住大体的概念。你只收获了对知识粗浅的印象，或者仅局限于功利性应用的部分。在这种状态中，你一直在输入知识，但很难深度地理解知识。

不久前我问一位学生："最近你终于有时间读自己想读的书了，开心吗？"

没想到他回答："一点也不！"

"为什么？"

他说："在学校时有老师和同学，每天讨论，写清单，列目标，感觉我有很多想学的东西。但一个人有大把的时光，能够自由选择时，我反而不知道该读什么了。"

以输入为主的被动学习经常会面临这种窘境。你习惯了有人替你制定目标，引导和监督你执行一份并不愉快的学习计划。你反感这样的环境，希望以自己喜欢的方式学习。可这种力量突然失去后，你发现早已经对这种低效的学习方式产生了依赖。

当我们开始尝试运用费曼技巧改变过去的学习思维时，从费曼技巧的第一步起，我们就能收获与众不同的体验。学习不再是被动服从和由功利驱动的"输入"，而是我们自觉甚至是开心地实施有意识的主动学习，也就是以"输出"为载体的"有选择的输入"。它的前提是我们为自己重新确立了学习的意义。

知道为了什么而学习

有位学生问我："我可能一辈子也用不上几个高深的数学知识，学习还有什么用呢，岂不是浪费光阴？我拿这些时间干点别的不好吗，比如了解我最喜欢的天文物理？因为我的志向是加入国家天文台的'巡天计划'。"

我反问："那你怎样理解数学？"

"理解数学？"他并未仔细想过这个问题。在他的学习系统中，学习的逻辑是"为了学习而学习"，讲得再明白一点，是"为了就业而学习"，像他渴望参加的"巡天计划"，那是他就业的目标。

然而，他感到困惑的其实是两个截然相反的问题。"数学有什么用"和"学数学有什么用"是不一样的，他困在后面的逻辑圈里，就像大部分年轻人目前的心态。他们的学习态度无比端正，志向远大，却从根本上认为学习只是一个达到目的的手段，而不是将学习本身当作一件非常有趣的事情。对于为什么要学习，他们的了解仅此而已。

> "孤陋寡闻是很危险的。有的青年人才学了一点点皮毛，却自以为知道了一切。但不久他就会抛弃这种一知半解的诡论，重新认识到世界其实复杂得多。"
>
> ——费曼

下面我们来看一看学习某个知识的"有用"是何所指，"有用"在你看来到底是什么意思呢？是指对学习数学的某个人吗？如果是，那具体的作用是什么？是指数学可以让你赚更多的钱，还是解决各类与数学有关的疑难问题，或者是可以让你更聪明并因此获得快乐？

继续延伸下去，还有其他数不胜数的作用。学习数学是指对别的学科有帮助吗？如果是，具体是哪些学科？是对社会有价值吗？如果是，能否总结出这些价值？比如，学习数学能够促进社会的发展，优化社会资源的配置，改变社会的观念，等等。

认真回答这个问题，到一定的阶段必然出现一个终极答案：

学好一门知识的前提是必须充分地理解这门知识，包括它尚待开发的价值。显然，在我和学生简短的对话中，我们没有时间讨论这么多，但在阅读本书时，读者可以沿着这条思维脉络对自己要学习的目标进行"问答测试"，这么做的好处是显而易见的，它能帮助你迅速地发现一个清晰的学习目标，这对理解后面的内容大有裨益。

追求四个方面的进步

目标明确的学习可以极大地改变一个人的思维，对于训练和改进我们的思维方式而言，这是一个必不可少的基础。它主要体现在四个方面：

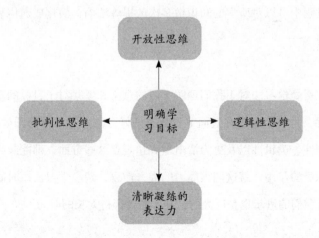

第一，开放性思维。

充分地了解一门知识，首先提升的是思维的开放性，能够接受新的观点，拓展新的视野，使自己跟上时代的发展。

第二，批判性思维。

作为主动和独立的学习技巧，运用费曼学习法可以很快了解自己所学知识的程度，并且以科学的怀疑精神寻找反证，养成批判性思考的好习惯。

第三，逻辑性思维。

目标专注的学习能锻炼你思维的逻辑性，这需要你长久地聚焦和沉注于一个主要的问题并且反复思考。

第四，清晰凝练的表达力。

以教代学的输出方式考验你的语言组织和表达能力，在输出的过程中可以对所学的知识做多次的提炼浓缩，简化成通俗易懂的版本。

费曼学习法对于我们理解学习的意义和考察对于目标的专注程度，是一个真正有效而节省成本的好方法。在思维的开放性、批判性、逻辑性以及更为清晰地表达观点这些方面，都能起到非常积极的作用。就这四项能力的提升而言，费曼学习法短时间内带给我们的进步也是巨大的，并不需要等待太长的时间。

第四章　聚焦目标

我曾经对学生这样阐述"目标"这个词："目标不是一个符号，也不是一个摆在那里的台阶，只要走过去、爬上去就好了。目标其实是一个动态变化的信标，它是随着人的思想、年龄的增长而变化的。今天的目标，到了明天未必还是你的目标。今天你的目标是把这本书学好，明天还是吗？也许就变成了另一本书。"

之所以告诉学生人的目标是动态的，是希望他们不要妄想长期对同一个目标保持专注。这不现实，尽管总有少数人能凭借坚韧的意志力做到这一点。但大部分人是"普通人"，每天的原始资本都是 24 小时，一种兴趣往往持续不了一两年，最务实的做法是——**在这一两年的黄金时间内聚焦在一个正确的目标上，尽可能取得不凡的成果。**

理查德·费曼也不鼓励以天才为榜样，因为学习不能倡导以过度地消磨意志力为荣，学习应该是轻松的，轻松到几个易于理解的步骤便能收获非常大的成效。事实上，许多精英人士就是这么做的，他们不是天才，却是学习的高手，在有限的时间内学到了比其他人更多的知识并应用到了实际的生活和工作中，得到了远远高过大多数人的收益。

这个答案就是：

> 他们善于抓住学习的黄金时间，将全部的精力聚焦于选定的目标之上，心无旁骛地把这门知识／技能学通、学精和化为己用。

这意味着当学习一门知识的最佳窗口打开时，你要摆脱和放弃那些"可以做"但并非"必须做"的事情，将有限的时间集中到当下这件"应该做"的事情上，也就是掌握这门知识。事情有轻重缓急，最重要的事情就是我们已经制定的这个明确的目标，其他一切都不重要。明白了这一点，你就能在目标和行动之间建立紧密的联系。接下来，你是否成功便取决于目标是否正确，注意力是否做到了足够集中。

这么做对学习有两个明显的好处：

第一，让你的思维更加清晰。

你可以对这个目标看到更多的可能性，对自己要学习的东西有更深的理解，并形成具体的思路。

第二，让你的行动更有针对性。

对目标的专注力越强，你的行动就越有针对性，不论学习的是一些概念还是工作的技能，效率都会大大增强。

比如，每当我非常想读一本书时，就会立刻安排时间，绝不"等什么时候有空闲了再说"。因为我知道，也许再过一两个星期我对这本书的兴趣可能就不大了，那时强制自己拿起来阅读的收获一定远不如现在。所以我读书有一个习惯，只要感觉来了，拿到手里就不会放下。我会以很快的速度通读一遍，寻找我感兴趣的内容——锁定那些自己有兴趣或需要了解的部分，集中精力去阅读它们。假如时间实在不够，我也会把这些知识标注下来，制订一个阅读计划，才把书放到一边。等定好的时间一到，再以准备充分的状态迎接这场"战斗"，誓要拿下这块"阵地"，非把它们吃透了不可。

在现实的生活中，人们普遍想得很多，计划很多，对学习、生活和工作划分得过于细致，胃口大，却又吃不下。结果是，投入大量的时间东忙西忙，既无效果，对健康也不利。学习难道不是如此吗？实际上，**任何事成功的关键都不在于你想做好几件事，而在于你能否做好几件事。**

如何找到正确的方向？

我有位朋友的孩子在假期想补习一门历史知识，中国先秦史，明清史，隋唐史，古罗马史，选项很多，他不知道选什么。一部分原因是，这次学习完全由他自己主导，他的父亲绝不干预。让他自主树立一个学习方向，他反而有些束手束脚。

不久前参加一次在线学习的研讨会时，我听到不少与会者在讨论这种现象。老师布置的指向明确的任务，学生一般完成得很不错，按部就班地执行一个既定的学习计划。但对于老师给予的自主学习一门其他知识的建议，他们中的一些人往往感到茫然。学习需要一个正确的方向，问题是，当由你自己选择这个方向时，你怎样判断自己适合学习"隋唐史"还是"古罗马史"？

第一，对自己提出的一些关键问题。

这个世界所有的答案都源于问题，任何一个答案的质量都取决于问题的质量。也就是说我们要学会提问，不仅对别人提问，也要对自己提出高质量的问题，然后做出解答。好比一个对话游戏，一方是"外我"，另一方是"内我"，在对话中让他们达成共识。你的问题问错了，答案再好也无用；假如你对自己提出的问题恰逢其时，正中"内我"的下怀，契合自己真实的需求，答案必将产生积极的化学效应，甚至改变你的一生。

正如我向学生建议的那样，要不断地对自己提出问题，特别是一些"关键问题"。在学习层面，最关键的一个问题就是：**"对我而言最重要的那件事是什么？"**在这个假期，学习哪一门历史对我最重要 / 最有意义 / 我最喜欢？有时候我们用直觉就能回答类似的问题，有时候则需要经过严谨的论证和思考。

在设定目标时，你可以沿着两条轨道提出问题：

未来的方向——

"未来我在历史方面的兴趣，是中国史还是外国史？"

"我的朋友中精通中国史的人，他们是哪个方向？"

"除了隋唐史，我没有其他方向吗？"

"研究隋唐史，能在其他领域帮助到我吗，比如开设收费专栏？"

当下的焦点——

"为了研究隋唐史，我要解决的主要问题是什么？"

"我需要设置一个分阶段目标吗？"

"在历史方面，我有哪些知识的不足？"

"历史记载有真有假，我该怎么收集真实信息？"

未来的方向帮助你树立一个宏观的目标，当下的焦点则能指引你制订正确的行动和学习计划。只用八个问题，你就能在纷杂的选项中找到对的那一个。这也是费曼在他的教学过程中提倡的一种思考方式。思考应该是二维的，我们不但要思考自己的终极目标，还要思考为了实现这个目标当下需要做什么，怎么做。因为知识也是二维的，它不是一维的符号，而是一条二维的线，不同的阶段，你要做的事情总有区别。

第二，把"最重要的那件事"变成自己的方向。

当方向确立以后，学习正式迈出第一步。

每天早上你一定要问一问自己："今天，对我最重要的那件事是什么？"今天是了解一个大纲，还是去图书馆查冷僻的资料？今天是整理事件年表，还是串联人物时间？这是学习历史的必经步骤。一旦敲定了这个问题的答案，学习的效率就会大大提高。

今天最重要的事情就是你在学习中的方向，首先你要相信自己可以做好当下的这一步，因为每走好一步，人生就能因此而改变。如果没有这个信心，你也不可能采取行动。甚至你连图书馆在哪儿都不会查证。其次是一些细节的建议，你可以利用身边的工具：手机屏保、日历、笔记本、墙贴等，把每一天的目标写在显眼之处。这既是提醒，也是鼓励，用可视化的方式不断地督促自己聚焦于目标，将这件重要的事情做好。

如何找到真正的兴趣？

兴趣和目标其实略有不同。在费曼看来，兴趣是一切高质量学习的驱动力。著名心理学家和教育学家本杰明·布卢姆（B.S.BLOOM）也表达过类似的观点，他说："学习的最大动力，是对学习材料的兴趣。"

联系兴趣和目标的是一座"人为桥梁"，它并非天然存在，我们要注意将自己原有的知识体系与现在或一贯的爱好嫁接起来，以便从中找到真正的兴趣。有的人一听到"历史"这个词就备感头痛，在学校对于历史课程向来冷淡置之，仅限于应付考试。他可能是历史考试的高手，"记忆大师"，但让他自主通读一本历史书时，他马上觉得世界末日到了。假如你看到隋唐史的书籍时也有这种感觉，显然这就不是你的兴趣，学习历史对你可能没有益处，这是应该放弃的目标。

相反，如果你从小就喜欢听历史故事，比如《三国演义》《隋唐演义》耳熟能详，别人不知道的历史人物你都能信手拈来，如数家珍，老师和父母又支持你多学一些历史知识，并为你提供有关的书籍。你具备这个条件，也具有强烈的动机，学历史让你感到愉悦，而且你有向别人讲解历史的冲动和语言天赋。那么，这不但是你的兴趣，还是你的特长。物理、天文、数学、科技等知识也与此类似。学习是有血有肉的过程，它植根于我们的心灵反应。只有真心地喜欢学习一门知识，你才能把费曼学习法后面的步骤进行下去，并完成得很好。

为了定位真正的兴趣，不妨多给自己一些宽松自由的思考空间，深入分析那些自己喜欢的领域，查阅相关的资料，然后进行初步的尝试，从中找到自己学习的对象。

有许多途径可以评估自己的目标是否有价值，最好的方法就是分析它能否匹配已有的知识体系。

假如能做却不去做一定令自己终生遗憾，它就是你的目标。学习、工作和生活都是如此。

当你清楚自己的目标是什么，就要把它当作自己每天都要去做的"最重要的事"。

第五章　规划：和目标建立"强联系"

　　在做传统规划时，我们习惯了先把目标放到一边，拘泥于研究计划的细节，或者先忽视具体的可行性，高唱"鸡血之歌"。这两个"房间"只有一墙之隔，却就是难以打通。有时候你会发现，我们的目标定立得高大上，让人热血沸腾，具体的规划却一塌糊涂，看起来莫名其妙，和目标八竿子打不着。有时候你计划得挺好，走到最后看到结果却发现走偏了，实现的是另一个完全不同的目标。

　　结合自己的生活想一想，是不是有熟悉之感呢？

> "学习计划就是针对学习对象设立一条行动的路线，规定自己在什么时候采取什么方法。"
>
> ——费曼

我们制定了一个学习的目标，接下来就要恰当地安排学习的计划：**怎么学、分几个阶段、如何有序进行、怎样按时达到目的？** 这当然很重要，但正像前面提到的，你需要避免在学习的过程中迷失目标，走到最后发出什么"这不是我想要的"之类的感慨。时间不能倒流，知识不是食物，学进肚子里的东西肯定也吐不出来。所以，为了不辜负光阴，提高学习的效率，我总是建议人们在制订规划时先对自己的计划和目标做一次全面的剖解，在费曼学习法的第一步和第二步之间插入一个必要环节：挖掘出你和目标之间的"强联系"。

第一，论证学习这门知识 / 做这件事的必要性。

深入论证目标的合理性："我真的需要它吗？""为它投入时间和金钱是否值得？""我是否还要再想一想？"

第二，确认规划与目标的实质联系。

仔细确认规划的可行性："我的学习计划与目标的匹配度是

多少？""对我而言这个计划是否可行？""有没有更省时高效的
方法？"

这个环节的意义在于，保证我们的目标到最后不会是一座空
中楼阁。有太多这样的事发生，我们努力了很多年才发现自己坚
持的是一个无法实现的理想；我们执行了很久的计划到终点才发
现这是一条注定失败的道路。那种无力感对人是沉重的打击，有
些人因此多年一蹶不振。我相信读者在自己的生活、学习和工作
中都有过类似的体验。

从行动的一开始，便在规划和目标之间建立一个牢固的联
系，打通它们的血脉。通俗地说，就是在你的学习过程中要在计
划和终点间产生互动和反馈，随时确保自己的付出是正确的。这
样你才能管理、控制自己的学习，从学习中收获"正反馈"。

有没有可能，你的目标其实是错误的?

"你为什么要学习理财致富？"我问小周，"这是投机之术，
你这么年轻，又有文化，真是一个不明智的选择。"

小周今年 27 岁，刚经历一场失败的婚姻。据他说，3 年的离
婚和争夺抚养权的大战使他明白了一个残酷的道理："光有文化
算什么呢，没钱寸步难行，连老婆也瞧不起你。"因为经济条件
差，他在法庭上输掉了孩子的抚养权。

痛定思痛，他做出的选择是改换职业，学习理财，比如炒股、期货、外汇等，希望用投资的手段成为有钱人，向别人证明自己不比他们差。市场上到处都是理财类的书籍和五花八门的投资知识，说明这是可以学习的。而凡是可以学习的东西，就有成功的可能性。至少他是这么认为的，没有意识到由于自己的动机存在问题，这个目标在当下的阶段其实是错误的。功利主义者在投资市场上从来都是别人枪口下的猎物。

小周买了许多理财书，埋头苦读，在理论方面很快小有积累。一边学习，他一边开始了实战，将东拼西凑才借来的 10 万本金投进了股市。第一个月，他的运气不错，赶上了一波好行情，大赚 30%。小周不认为是运气，他觉得是自己的学习能力强。第二个月，市场就给他上了一课，一波坏行情，他的资金回撤高达 50%，不仅赚来的钱又跑掉了，还亏掉了 20%。这时，小周觉得是自己读的书有问题。他四处寻找答案，渴望明灯。

无论工作、生活还是学习，偏执是一件非常麻烦的事情。有句话说："对人最危险的东西，莫过于真诚的无知和善良的愚蠢。"**聪明的学习者善于反问和反省，愚蠢的学习者则喜欢自我感动，将一个错误的目标偏执地坚持到底。**而一个错误的目标，会让你之前正确的积累瞬间付诸东流。

在费曼学习法中，确立目标是取得成功很关键的一环。有了正确的目标，学习、努力便有了清晰的方向，每天的所学、所做也便有了衡量和评估的尺度——也就是可以从每一个小进步中体验到的成就感。但是，如何才能确保我们的目标是正确、而不是错误的呢？

著名的"SMART 原则"提供了一个简单明了的判断标准。即：

S：（Specific）明确和具体的。——目标必须清晰和可以形容。

M：（Measurable）可以衡量 / 量化的。——目标必须量化和能够评估。

A：（Achievable）自身能力可以达到的。——目标必须在能力范围内。

R：（Rewarding）能产生满足感 / 成就感的。——目标必须有积极的意义。

T：（Time-bound）有时间限制的。——目标必须有实现的期限。

用这个标准衡量小周的目标可以看到，他想通过学习理财知识来致富的目标十分清晰，S 符合；理财致富能改善他的生活，改变他的社会地位，R 也符合；然而，理财致富的量化标准是什么，如何评估最后的成果？赚一百万还是一千万？M 不符合；从实战的表现看，小周的心性、能力根本无法让他在股市中赚钱发财，A 不符合；何时才能实现理财致富的目标？恐怕巴菲特也不可能替他给出一个时间期限，T 也不符合。我们把小周的理想放到 SMART 原则中一经分析就发现，他选择了一个错误的学习对象。

再比如，生活中很多人立志学习一门外语，可是付出很多精力仍不理想，效果不佳。这时他就要反思一下自己的目标是否合理："我真的适合学习这门外语吗？"他制定的目标应该是具体和明确的，而不是含糊不清地想学好法语或英语。"学好"的量化标准是什么？达到多少词汇量，表达和听力怎样才算合格？制订外语学习计划时有没有规范学习的进度、形式、期限？这些都需要落实到细节，每一个环节都具有可行性，才是一个正确的目标。我们才能在计划和目标间建立"强联系"。

有没有更好的方向？

我问小周："假如不理财不炒股，你就找不到别的致富之道吗？"致富是他想要的一个结果，但除了投资理财就没有更好的方式吗？我帮小周做了一次分析，他大学时学的是工商管理，毕业后在一家企业做过两年的中层干部，积累了一定的管理经验。如果说理财经验是 1，他的企业管理经验就是 100。只不过他后来选择改行，又进入了一家业绩很差的公司，近几年的事业才庸碌无为，没赚到什么钱。他平时对财务也很感兴趣，自学过很多书，可以说既有管理经验，又有财务基础。

"你的学习对象就在这里面,"我说,"但你必须先抛弃快速致富的功利心,正确的目标不会太快给你回报,凡是能让你一夜暴富的知识全部是假知识,目标也是假目标。把几年前丢掉的知识拣起来,看看还能不能派上用场?"

这是小周的新目标,也是正确的方向:企业管理。学习和企业管理有关的知识,提高自己的管理技能和财务方面的能力,然后去找一份收入更高的新工作。如果总是撞上现实的墙,我们就要反思自己的目标是否正确。"活到老,学到老。"这句话不是教人无视学习的挫折,而是让你在自己的舒适区学习。

学习的舒适区有两个标准:

第一,一个正确而适合自己的学习方向,它符合自身的兴趣。

第二,一个在自己能力范围内的合理目标。它符合自身的能力。

规划一条高效能学习之路

做学习规划时,我们要先为三件事预留出足够的时间。

★留出锁定最重要目标的时间。

最高效的人总能锁定自己最重要的目标,把主要的精力聚焦到这个目标上。

★留出做正确规划的时间。

在兴趣、目标和规划之间找到内在的联系，建立一座坚固的桥梁，才能制订正确的学习计划。不要还没做好准备就匆匆地开始学习。

★留出调整目标和规划的时间。

在计划和行动的过程中根据反馈随时修正目标，改善或改变学习的计划，保证自己始终处在一条正确的轨道上。

通过这一章的内容，你将能够真正理解学习的意义——学习不是为了让大脑记住哪一门知识，而是将这些知识100%地转化为生活和工作中的应用价值；高效能的学习也不是定好目标便勇敢无畏和一往无前地学下去，只要将计划填充所有的时间那么简单，而要合理地安排时间，先树立一个清晰的大目标，再将其分解成三到五个阶段的小目标。这些小目标每一个都能落实，在学习时它们切实可行，能一步一个脚印，逐步达成目标，完成计划。始终在你的能力范围内走好每一步，让自己不再因为盲目的忙碌而压力重重，这样的学习之路才是高效能的。

在我们和既定的学习对象之间，最重要的也不是怎样掌握它大部分的知识点。你背诵了多少英语单词，记住了多少历史事件，都不是最关键的，而是一个更深远的目的，那就是——**学习不只是为了记住什么，而是我们通过学习建立自己行之有效的思维框架，并将知识运用到实践中，解决生活和工作中的实际问题。**

假如有这么一条道路摆在眼前，才是我们应该选择的学习方式。因此，我们必须要有清晰的目标，有一个高效能的学习计划，带着强烈的兴趣去思考，才能不再对学习感到晦涩和艰难，从一条小径慢慢摸索和打磨成平坦的大路，最后在学习中通畅无阻，从知识中获得我们想要和需要的东西。

第六章　费曼技巧：目标原则

在 SMART 原则的基础上，费曼对制定学习的目标提出了更高的要求。尤其目标本身，它需要符合五个原则，才是一个值得投入精力为之努力的目标。假使你只是为了学习使用一个陌生 App 的技巧，我相信你不需要阅读本章。但如果想制定一个对未来可能产生重大影响的学习目标，这五个原则是你有必要充分了解并贯彻于学习过程中的。

目标的全面性原则

制定目标时要有全局和整体观念。比如，学习一门知识是从事某个行业所必需的，不是为了学而学。这就是全局和整体观念。

制定的目标要能匹配你的阅历、经验和过去的知识积累，体现你一段时期内的任务。

目标的重点性原则

制定的目标要有侧重点。哪怕一本书，它也是千头万绪，有很多主题，你不可能面面俱到，总要侧重于学习某一个方面。因此必须明确学习的重心，拟定一个重点目标，将有限的精力用于最关键的知识点上。

制定的目标也要有针对性。针对自己的某一项不足，通过学习可以切中要害，解决这方面的问题。比如，学习英语时加强自己的口语表达能力，学习健身时刻意强化自己的腰腹力量等。

目标的挑战性原则

制定的目标要具有挑战性。具有挑战性的目标才能激发我们的求知欲，增强我们学习的动力。通俗地说，目标要有一定的难度，通过学习对自己是一次巨大的提升。

制定的目标要能挖掘和激发自己的潜能。学习要坚持高标准严要求，倾尽全力才能掌握和理解一门知识，达到我们的目标，将潜能激发出来，而不是简单的背诵或阅读就可以轻松地实现目标。最好能在学习的过程中训练自己的创新能力，让自己对知识、对世界的理解再上一个台阶。

　　制定的目标不能在学习过程中人为调低难度。假如遇到点困难就垂头丧气，主动调低难度，那就失去了学习的意义。不要让你的目标唾手可得，不要对挫折轻易地妥协，这不仅使你享受不到学习的成就感，也影响你在其他方面的努力，会让你养成一个浅尝辄止的坏习惯。

目标的可行性原则

　　制定的目标要切实可行。目标既要有挑战性，也不能超出我们能力的范围，可行性原则与挑战性原则是辩证的统一。比如，你学的是历史专业，就不可能要求自己两个月内学会天文物理和宇宙常数的计算方法；你是金融领域的从业者，也很难短时间内学通企业管理。

　　制定的目标必须符合我们的客观实际。即，经过一定的努力就能够实现，而不是倾尽全力也只能学一点皮毛。一个具备可行性的目标，可以让我们既充满信心，又不会掉以轻心，才能激发自己的潜能，努力去实现它。

目标的可调性原则

　　制定的目标要具有一定的可调性。可调性就是随着环境和内外条件的变化，我们能对学习的目标进行必要的调整，适应变化。比如，当你在学习英语时发现未来就业的市场正在变小，可以随时变换自己的战略，不再为了就业学习英语，而是让它成为自己一种重要的技能。

制定的目标要在实施过程中留有余地。即，准备好多种学习方案和备用计划。当环境发生变化时，你能拿出适应变化的备用计划，使自己始终处于主动的地位，不至于被环境牵着鼻子走。

理解我们要学习的知识

 关键词：系统化

对我们要学习的知识和概念进行归类对比，系统地理解这些内容，建立筛选和学习的原则。

第七章 归类和对比知识的来源

在《发现的乐趣》一书中，费曼接受采访谈到学习时认为，如果一个人不能有意愿和彻底地、深入地理解自己的学习对象，不知道自己究竟在学习什么，对于知识的印象十分模糊空洞，在学习上付出再多的努力也不可能有好的收获。

换言之，学习思维的转换能为我们带来不同的学习效果，首要原则是确立一个目标后愿意并有能力理解它，将知识打散，然后进行聪明而简洁的解构，从中找到自己的方向，建立自己的逻辑。换句话说，假如你不能将知识系统化，再用一个自己能理解的框架把知识组合起来，就说明你理解得还不够透彻，学习的效果恐怕也是值得怀疑的。

毫无疑问，正确的学习思维和方法确实很神奇。费曼学习法首先讲的是"学习的方法论"，其次才是教你学习的具体技能。在学习这条道理上，你可以不自信，甚至什么都不知道，但不能缺少一颗踏踏实实的心。必须从最简单和必要的步骤做起，细微地观察和理解知识，到该收获的时候才能得到回报。

将知识有逻辑地系统化

现实中不乏记忆力超强的人，但能够在熟练记忆的同时将知识以一种合理的逻辑系统化的人却少之又少。逻辑就是你理解知识的出发点、角度、立场和思维方式；系统化则是你是否可以将这些知识纳入一个宏观的知识体系，互相印证和科学比对，对既有的知识体系形成补充。

如果出发点是为了应付考试，你的学习是纯功利性的输入；

如果接触一类知识的目的是为了强化某种固有立场，你的学习是有倾向性的输入；

如果是内卷和排他的思维方式，你的学习是偏执性的输入。

以上三个问题会使你在理解一门知识时缺乏合理的逻辑，就像系统出现了 BUG、混乱和无序；对待知识的不同来源，也不具备足够敏锐的分辨力。

比如学习一门医学知识，单纯以应付考试为目的，你不会在乎知识的对错——过时的医学理论和临床数据。如果对你的学习没有影响，你就只关心它在考卷上的标准答案，然后机械和精准地记住它；为了强化自己的固有立场，你就会有意忽视那些对你的立场不利的信息，有选择地了解、掌握对自己有利的内容；思维方式是内卷和排他性的，你就会利用自己有限的知识构建一个逻辑闭环，进行循环论证，忽视其他相反的观点。这不仅使你无法真正理解自己的学习对象，反而学得越多，观点就越偏狭，背离了学习的初衷。

有一个成语叫作坐井观天。坐在井里，你可以很自信，认为头顶的天空是全部的世界。没关系，人有固执和偏激的权利。但到最后，许多看似努力的学习最终产出的却是坐井观天的结果，这是很可惜的，因为并非是学习者所希望达到的目的。

有逻辑地系统化，意味着我们在理解知识的第一阶段要做对三件事：

第一，明白自己学习是为了什么。

没有目的的学习是可怜的，但目的错误的学习却是可悲的。正确的目的是非功利、非倾向性和非偏执性的，要有一个单纯的愿景——"我就是想掌握这些知识，了解它们，然后产生自己的理解，学习时并不想怎么用这些知识为自己创造利益"。虽然后者非常重要，但我从不建议读者在学习时对其倾注太多精力。尽管学到的知识总要为己所用，但太功利的态度和过于明显的偏执很可能让学习事倍功半。

第二，拥有一个足够宽阔的视野。

一个很有趣的事实是，随着年龄的增长，我们的学习视野往往在变小。具体体现在，成人在学习上"问问题"的能力有时远不如小孩。看到一本书，小孩会问："作者为什么写这本书？作者想告诉我们什么？这本书为什么定价100元？封面有何特殊意义？他是怎么总结出这些知识的？"大人呢？可能仅有寥寥几句："这本书我读了有什么用？还有比它便宜一点的书吗？"听起来老气横秋，没有活力。这体现了一个人视野的局限性，它受到阅历、生活工作的实际需要和世界观的多重影响。所以我经常讲：**人要尽量保持童真，因为童真的心态能扩大你的视野，让你愿意并且能够在这个世界中看到更多的"可能性"。**

第三，建立最可能客观科学的逻辑。

一个客观科学的逻辑能帮助我们成功地将知识系统化，并且保证这种系统化是有益的，可以把知识有序地安放到位，赋予它们应有的价值。

有一名学生曾就这个话题和我讨论，他不太清楚如何简单明了地理解"系统化"。我问他："假如你要建造一栋房子，要干的第一件事是什么？"他说："挖地基，运材料？"我说："不，是画一张图纸。"他恍然大悟。系统化就是为我们准备一张学习的图纸，把材料安放到它该去的地方，让不同来源的知识各归其位，利于我们对比和筛选。如果没有这个可靠的系统，缺乏客观科学的逻辑，你对知识和信息就不具备强有力的分辨能力，在学习时便容易良莠不分，或者贪多嚼不烂而消化不良。

筛选和留下最可靠的知识

我们知道，现在越来越多的人患有强烈的"知识焦虑"，随着人工智能的快速发展，现代社会实质上进入了一种"信息之海"，你看到、听到和感知到的所有信息都不来自人，而是互联网技术。学习不再是"人"自己的事情，是人和机器的竞赛。人们开始担心未来会不会被人工智能全面替代。怎么在这场竞赛中保住自己的优势？如何从信息之海中筛选出对自己有用的信息？这让人备感无力。

但是，学习最重要的并不是找到那些价值千金的知识，而是通过对知识的筛选与吸收建立起自己的思维框架。

筛选和提取知识——比如一本 20 万字的书，它提供的信息和知识点是海量的，你不可能用同一个标准吸收它全部的内容，只能有针对性地筛选和提取书中的某一些知识点，或者制定一个框架，根据目录、需求等标识性的东西到书中寻找相应的知识点，把它们拿出来，再延伸到自己对于这些知识点的理解，产生一个关于此书的"缩略版"。

筛选知识的方法论——也是搜集信息的方法论，首先你要清晰地知道自己的短板是什么，要重点学习哪方面的内容，这叫锁定方向；其次你要快速准确地把相关内容找出来。我推荐读者在学习之前先列一张清单，写上具体的需求——这本书有哪些知识是我最需要的？我急需弥补的知识点是什么？然后照方抓药，把对应的内容标注出来。在这个阶段，你对这些知识不需要深入了解，只需将它们筛选出来即可。

搜集和保留可靠的知识——请注意，即便一本公认非常权威的书，它的内容也并不是全都可靠的，至少对我们个人的需求而言，书中的有些证据和观点未必就符合我们的实际情况。所以在筛选时一个基本的逻辑是：**我要找出那些与我的实际需求相匹配的知识**。在任何资料和信息的整理中，这都是要坚持的原则。如果你学到的是不可靠的知识，付出越多，成效便越差。像"书呆子""饱读诗书的废人"等就是在形容那些学习了很多毫无用处的知识的人。

有时候，我突然想放下工作，了解和背诵一首好的诗歌，缓解工作的压力。我也想找一本最新的词典，从中学到几个新的、有意思的词语，为下周的工作做好准备。这些念头是一瞬间的，是短暂的学习的冲动，但它意义深远。因为这些学习占据了你大部分的碎片时间，影响你的整体学习的效率。

如果我能将这些学习的小计划实现好，在碎片时间里做好基本的信息收集和对比分类的工作，就能为我后面的工作解决很多重大的问题。比如，找一些好的诗歌，能让我有好的心情，恢复精力；新的词语能激发我在工作上的创造力，提高未来在学习和工作中的水平。这是学习系统中一个至关重要的环节。

总结——筛选知识的标准和流程：

确立逻辑 → 明确学习的目的。
→ 建立客观科学的学习逻辑。

收集信息 → 锁定知识的来源。
→ 形成一个完整的知识框架。

归类对比 → 筛选自己需要的知识。
→ 保留可靠和重要的知识。

在这三个步骤中，除了建立学习逻辑和形成知识框架外（学习的目的性和系统性），对知识的来源进行归类比对也非常重要，甚至影响我们学习的最终效果。假如你不能分辨出哪些知识是可靠的，哪些知识经不起验证，很可能到最后才发现前功尽弃。

分辨"假知识"

你知道吗，我们在自己的一生中学到的 90% 都是假知识，其中很多假知识还被人深信不疑。比如，你认为"近视矫正手术"可以治愈近视吗？十有八九的人回复我他认为可以，态度十分肯定。这是一个错误的医学常识，是很典型的假知识，因为正确的答案是：不能。它只能控制近视，让症状不会更严重，却不能把近视这个问题消除掉。

在这方面，名人也会犯错。《罗辑思维》的主持人罗振宇曾说，他选书的一个方法先看作者是否值得信赖，然后买来他全部的书。潜台词是，相信一个作者，就可以相信他教授的所有知识。这个观点是非常有问题的，因为很多权威给我们的知识中也有水分，而且占比还不小。

> "凡是与现实不相匹配又经不起事实验证的知识，我们都可以称之为'假知识'。我们学习知识的目的是了解智慧，不是蒙蔽双眼。"
>
> ——费曼

"假知识"是如何欺骗大脑从而被我们接受的？根源是大脑学习知识的原理。把知识看作跟其他物品可以很好地理解这个过程，外界的环境和一样东西要被大脑熟悉和接受，就必须经过我们大脑内的意志的转换——我喜欢和需要这个东西。唤醒大脑的意志，是学习和理解一样东西的必经途径。

比如，"床"对人很重要，是睡觉的地方，大脑喜欢它。"衣服""汽车""房子"和"酒精"等同样如此。从本质上看，大脑接受它们是某种意志在起作用。人的所有的行为都是靠这些意志的共识运转。没有意志，大脑对任何事都不会感兴趣。我们形容一个人"心如死水"，就是说他从意志层面把自己与外界隔离了。这时候，不管世界发生什么事情，他的内心都波澜不惊，自然也谈不上学习的动力。

相对而言，知识是不变的，变化的是你的意志。大部分的"假知识"都具有刺激意志的特点，为了让人乐于接受，它们被贴上了"强意志"的标签。甫一接触，如同打了一针兴奋剂，瞬间便让你激情澎湃，好像终于发现了世间的真理。可这种短暂的快感只是由于强意志的带动冲击了你的思维，却改变不了你的行为。但它对你灌输了一种错误的认知，这种认知很难消除。

这就是为什么许多创业失败的人愿意花钱去听一些"专家"和"成功人士"的讲座，觉得自己学到了很好的创业知识，却仍然继续失败的原因。这些知识被传播到各个角落，你随便百度就能找到几百页，但你学习它们依旧做不好生意，管理不好公司。这些知识从理论上看也许是对的，可对于实践而言是不折不扣的"假知识"。它们有着吗啡的特点，使人上瘾，我们在学习时必须躲开。

屏蔽来源不确定的知识。对知识来源的判断尤其重要，它们来自图书馆，教科书？还是公众号、论坛或道听途说？对于来源不确定的知识，要坚决屏蔽；对于来源不够专业和权威的知识，则要以审视的眼光对待它们；对于专业和权威的来源，我们也要学会独立地思考和谨慎地采纳。

小心对待差异化的知识。 知识的"差异化"是指非重复、有分歧甚至互相冲突的内容，比如，经济学家 A 说："随着美国不断退群，全球化已至末路，未来是区域经济的时代。"经济学家 B 的观点是："恰恰相反，一个新的全球化时代正式开启了，未来将是新规则、新形态的全球化。"两种看法尖锐对立，但又同是这方面的专家，都提供了严谨的论证。哪种观点是我们该采信的呢？对此要有务实的态度，结合自己的理解学习他们的观点。

用对比的方式挑选和分辨知识。 对比知识的来源，目的是删除重复和不可靠的信息，增加获取新知识的可信渠道，保证自己所获得知识的质量。通过归类对比，我们能把那些真正值得学习的知识找出来，将它们放入自己的学习系统。这就像做饭，你从超市买了菜回来，第一步是做什么？是摘菜和洗菜，摘掉那些坏叶子，洗掉泥土。这个过程在任何形式的学习中都必不可少。

曾有人问我，如何才能把知识转化成自己的能力？去参加各种讲座，听课，读书，到知识共享网站"狼吞虎咽"加大阅读量？显然不行！我的建议是，你要先确立两到三个可靠的知识来源——老师、专业网站或图书馆，再把从这些来源得到的知识互相印证对比，找出对你重要的、不同领域的知识，再进行深度的学习。

　　在学习中，请你忘掉过去累积的所有的技能。因为过去的经验在学习时会起到"强意志"的作用，影响大脑的判断和选择。经验对学习来说并非指路明灯，它回归到本质只是一种具有惯性的行为模式而已。如果你愿意相信经验，经验就代表知识；如果你不认可它，它就是学习的阻力。

　　你是否想过自己过去学到的知识都是怎么来的？没错，我们所有的知识都来源于"别人的想法"。既然是从别人那里听来、学来的东西，你就必须拥有一种警惕和审视的态度——把"假知识"辨别出来，再踢出你的学习系统，不要在上面浪费一丁点精力。否则，你可能成为"假知识"继续传播的一个无意识的帮凶。

第八章　形成一张思维和流程导图

将知识系统化的一个重要步骤，是要通过读书笔记以及思维导图等形式对学到的和即将学习的内容进行加深和巩固。我们要做的不仅是画一张思维导图，还是一个清晰的流程说明，整个过程是可视化的。

想一想，你在学习或向别人传授知识时有没有遇到过下述问题？

为什么我讲了很多遍，我的学生／对方还是听不懂？

为什么我花了很多时间，仍然掌握不了这门知识？

为什么我查了那么多资料，依旧理解不了这个概念？

怎样才能帮助我更高效地学习知识？

如何才能帮助我更有效地传达自己的知识？

毫不夸张地说，几乎每天都有人向我表达类似的困惑。不管是在家里自己的阅读，还是在学校正式的学习场合，我总能看到一群在"教"与"学"之间挣扎的人。对学习者，要掌握的知识太多，对教学者，要传达的知识量也过于庞杂。这时候，你需要采取思维导图的形式加快理解，帮助自己将知识以一种简洁的结构系统化，从而提高学习的效率。

横向拓展：让知识"可视化"

思维导图的最大作用是可以让我们对知识进行横向的拓展，把不同的点以列表、图像、分支的形式展现在一张纸上，让知识的主要节点一目了然。通过视觉表征的方式，刺激大脑的图像化思考，如同在城市中拥有了一种"直升机视野"，看到知识的关键部分。

当知识可视化时，我们能以较低的成本高效学习。因为学习在本质上是大脑对信息进行加工的过程，想提高效率，第一时间了解到最重要的内容，抓住知识的重点，提高大脑对知识的感知速度和效能就显得尤为重要。

我们对外界环境的感知主要是通过不同的感官实现，眼睛是获取知识最主要的一条通道。为知识画一张思维导图的最主要目的，就是扩大眼睛的作用，让知识变得立体化，使它的整体结构通过眼睛传输到大脑，可以节省很多不必要的精力。

> "人的感官通道有五种，分别是视觉、听觉、味觉、嗅觉和触觉。毫无疑问，视觉是最高效的感官通道，它承担了大脑80%的信息输入任务。"
>
> ——费曼

那么，为何人们在学习和工作中还会本能地排斥思维导图的形式呢？有人觉得画一张图太过麻烦，要准备纸，准备笔，还要启动大脑进行深入思考，分析知识的结构，标注知识的要点。这让他觉得有难度。问题是，学习从来都不是一件轻松的事情。你不可能像喝咖啡一样随随便便就能掌握一本书，或者不费吹灰之力就记住一门语言，并在与外国人的交流中自如地使用它。如果你不想认真对待，这一目标是不可能实现的。

思维导图的第一个作用，是把我们的注意力指向实质与最关键的信息，加深我们对于知识的印象。这不仅有利于把握本质，也有助于记忆。比如，你可以先对自己要读的一本书画一张**概念图**，把主题、用途等要素图形化，突出这本书的理论和观点；再画一张**结构图**，揭示目录、大章以及概念之间的关系，把书的不同板块分类，形成一个简明的层次结构，有利于针对性的阅读；

还可以画一张**因果图**，列出书中的观点的前因后果，论据与推理逻辑之间的关系，这能为你提供一个独立思考的窗口。你可以站在自己的角度思考书中的观点是否经得起推敲，是否还需要寻找更多的论据来支撑他的观点。这就让我们的学习拥有了一种富有广度和深度的宏观视野。

知识场景的可视化

通过特定的图像化的方式，我们对知识产生了强烈的"画面感"，很容易感同身受，迅速融入这个知识的场景中，在与场景的互动中，记住那些关键的要素。很典型的一个例子是英语角，人们凑到一起，全程用英语沟通，创造了一个深厚的集体氛围。这种方式无论是对记住单个的单词还是练就流利的口语，都能发挥积极的作用。有位同学在学习古诗词时，特意配上了一些诗情画意的视频和图片，这也是将知识场景可视化的好方法。

知识关系的可视化

如果我们不理解不同知识之间的关系，就无法理解知识本身。把知识关系可视化，能助你揭示不同的信息、知识点之间的关联性——它们的不同来源，互相的因果和比证关系——在碎片化的知识中建立联系，形成完整的系统，最终站在整体的角度理解和掌握知识。像概念导图、要点图示和要素展示图等，都是有效的展示知识关系的可视化方式。

学习过程的可视化

这是费曼格外推崇的方法，他建议人们采用动图、视频等方法了解知识的原理，尤其在物理学的教授中，他鼓励学生观察一项物理原理实现的视频过程。比如火箭发动机的燃烧推力的产生，弹子锁的工作原理。如果只是用语言描述和阅读文字，你听到和看到的是枯燥无味的文字组合，夹杂着一堆晦涩难懂的学术用语，你要反复背诵和琢磨才能理解。但如果用视频呢？你可以看到整个过程，几秒钟的时间便恍然大悟，懂得了相关的知识。

画出一个"学习流程"

为了吃透一本书，我经常先给自己准备一个简易流程。做法是，拿出一张纸，画一个简单清晰的步骤图。第一步做什么（目的和方法），第二步做什么（目的和方法），以此类推，一般不超过五步。每完成一步，在后面打一个"√"。

这表明了思维导图在学习中的第二个作用，它提供的价值远不止于宏观角度对知识的理解，还深度参与了我们在学习时的"认知加工"的过程，可以帮助你在理解知识时更轻松与可控。轻松在于节省思考的精力，纸上展示了知识的框架和主要知识点；可控在于能把握学习的时间，知道当下自己处于哪个环节，何时能达到目的。

第一步：短时记忆

我拿起手中的一本书，是著名投资家戴纳西姆·尼古拉斯·塔勒布（Nassim Nicholas Taleb）写的《随机漫步的傻瓜》

（*Fooled by Randomness*），书的副题是：发现市场和人生中的隐藏机遇。不妨想一想，费曼将如何阅读和学习这本书？在费曼学习法中，理解知识的第一步是构建一个系统。可以是主题系统，也可以是分析系统。我选择了建设一个主题系统：

> 1. 成功的投资家讲述如何投资；
>
> 2. 与市场主流意见不同的观点；
>
> 3. 警惕随时出现的黑天鹅现象；
>
> 4. 从随机变化的市场中发现隐藏的机遇。

这些主题汇总出来，在大脑中形成一个短时记忆。当我将它们存储进大脑时，也产生一个聚焦的作用。短时记忆能创造一个焦点，或者说指明一个方向，以便于我们进一步采取行动。即，如何对书的内容进一步学习，让其转换成大脑的"长时记忆"，吸收书中的有益知识，持久地存储在大脑中，并改善我们的现实生活。

第二步：心理表象

构建知识的心理表象，我们需要对知识进行视觉表达。通俗地说，心理表象是指知识以**形象化的方式**在我们的大脑中形成的**抽象概念**。它具备两个特点：第一，精练的语言表述，文字易于理解；第二，文字表述可以图像化。对于学习者而言，不熟悉的知识特别是抽象型的知识仅用文字表述会让人理解起来备感艰难。人很难想象那些超出自己阅历和经验的事物，比如你对地球上的空间很熟悉，却无法理解黑洞里面的空间规则。但当采用形象化的方式描述，通过视觉表达出来时，事情就变得简单多了。

例如塔勒布在书中的观点：股票的价格遵循的是随机漫步的涨跌规律，一切都是市场在自己主宰，人对价格的预测大部分只能靠运气。只看这段文字，我可能记不住三天，因为关于投资的理论实在太多了，也许第二天就有别的理论吸引我，覆盖了这段记忆，使我没有强烈的兴趣继续读下去。

我便在纸上画了两幅图。一幅代表了市场的主流声音（他们认为趋势是可以预测的）。如下图所示：

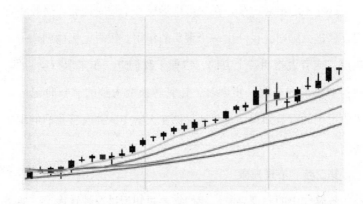

另一幅是塔勒布的观点，他认为趋势无法预测，尤其公认的上涨趋势会随时崩盘。如下图所示：

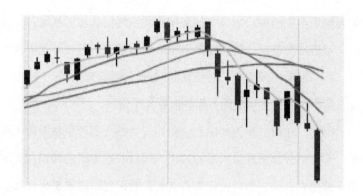

当我用这两幅图进行对比时，我发现塔勒布的观点是正确的，这坚定了我继续阅读和学习的决心，直到耐心地读完他的书，并真正理解他的思想。一旦知识在大脑中构建了心理表象，我们便能产生深刻的、难以磨灭的印象。

再比如我们在化学课都会学到的水分子（H_2O）的形态、运动和变化，水分子在书本上的文字形象是 H_2O——氢二氧一，无数的化学分子式均是这种类似的组合，记起来非常枯燥。现在，我们可以在纸上画一个水分子的模型：氧是一个蓝色的大分子，氢是两个绿色的小分子，它们结合在一起就像一颗脑袋带着两只大耳朵。闭上眼睛想象一下，是不是感到形象饱满，易于记忆？

图像化的记忆有利于在大脑中植入心理表象，这比纯粹记住一段文字要有效生动。在理解不同的知识时，用这种方式都能起到很好的作用，加深我们对知识的印象。

第三步：双重编码

在认知心理学中有一个"双重编码"理论，该理论认为，人的大脑中存在两种功能独立却又相互联系的信息加工系统：一种以文字语言为基础，另一种以表象语言为基础。前一种是语言意义，后一种是图像意义，对信息同时进行两种加工，等于实施了双重编码，记忆更加牢固，理解也更为深刻。

因此，在第二步的基础上，我们需要把文字形象和图片（视频）形象结合起来理解所学的知识。经过双重编码的知识在大脑中会被优先存储，然后转变为持久的长时记忆。**这就是为什么我们去网站看视频学习历史知识要比在课堂翻阅历史书效果更好的原因。**图像传达的信息成倍地放大了文字的效果，大脑喜欢这种学习方式。

第四步：长时记忆

我们想要学习的所有知识，最后都要在大脑中转化为"长时记忆"才算成功。因此无论采取任何学习方法，都要同时激活这两个系统为大脑服务，对信息同步编码。只有双重编码顺利地成功后，信息才会被大脑转移到长时记忆。此时，我们便完成了对于知识的理解。

我在课堂之上和课堂之外的很多场合向人们推荐知识可视化的学习方式。在费曼学习法中，它对我们迅速而深刻地理解所学的知识有着莫大的功效。不仅利于"学"（输入），也有助于"教"（输出）。

除此之外，制定思维和流程导图的还有一个重要的原因，那就是文字语言的表达天然具有**碎片化**的特征。如果你按部就班地阅读文字知识，就需要劳烦大脑把碎片化的知识拼接起来。这很不容易，你会激怒大脑，它讨厌这种学习。为什么一本书读了三分之一你就扔到一边不再感兴趣了？不是你不想学习书里的知识，是大脑在说"不"。这是由文字语言的表达与视觉语言的表达之间的差异决定的。视觉语言往往具有整体性的特点，它在一个完整的逻辑之上被组合起来，大脑不需额外做些什么，就能理解和存储这些知识。

例如，有一个知识——它可能需要 20 句话、300 字左右才能表述清楚，对大脑而言，每一句都是一个碎片信息，无法映射整体。我们的大脑要将 20 句碎片信息整合到一块才能真正从整体上理解它。但是视频或图片呢？几秒钟或者一幅图就可以了，通过眼睛的处理，所有的信息在上面一览无余，而且是已经被解构并重新组织好的精彩的内容，大脑一边接收视觉信号，一边已经从整体的角度理解这些知识。

所以，文字语言"碎片化"的特点决定了它不利于高效能地学习，起码在理解的环节为我们设置了足以让人望而生畏的障碍。与之相比，视觉化的表达则具备强烈的"整体性"的特征，尤其善于表达知识之间的关系，使大脑能够更好地把复杂的信息迅速地加工和记忆。**你的理解和记忆速度有多快，学习知识的效果就有多好。**

总体而言，费曼在自己的教学工作中推荐的"思维和流程导图"有助于我们解决以下的五个问题：

快速地获取自己需要的信息——不论一本书，一门学科，还是一种技能，速度可以得到保证。

掌握理解和分析知识的方法——和文字语言比起来，思维导图的形式为大脑创造了一条视觉化的路径。除了读书外，我们要借鉴图片、视频等工具输入内容。

建立自己思考问题的框架——思维导图从整体和宏观的角度重新组织了知识，为我们提供了一个系统化思考问题的架构。

形成高质量的学习笔记——组织和绘制思维导图的同时，我们也会完成高质量的学习笔记。

为知识的输出做好准备——思维导图是以教代学的一个必要工具，如果你不能为所学的知识画出一个整体框架，就无法向别人输出知识。

第九章　阅读与记忆的原则

　　我在读书时有个保持多年的习惯，每当要阅读一本书或了解自己不熟悉的资料，便准备一个简易的笔记本和一支笔。它可以是几张纸，也可以是一个薄薄的小册子。笔记本和笔准备好后，我会先将书或资料大体翻阅一遍，时间不超过 20 分钟，然后在笔记本中写下一个简短的概要。

　　概要包含如下内容：

　　　　书或资料的主题——是讲什么的，有何主旨。

　　　　书或资料的作者——作者的资历，有何专长。

　　　　书或资料的结构——分类和不同板块的分主题。

　　随后我再开始阅读或分析。一边读，一边结合概要的三个内容丰富框架，填充主题思想和要点，提炼这些知识的主要观点，理论基础，论证过程，并记下自己的疑问。我一定要用笔记下来，而不是让一个又一个的问号在脑海中短暂地浮现。

这么做不是因为我的记性不好，而是充分意识到了自己思维与格局的局限性。我了解自己不可能对所有的事物一清二楚；我也深知自己的悟性做不到对于陌生的知识一点就透，一学就通。特别是当我在教学工作中有时会找不到好的素材和切入点时，更会发觉自己知识的鄙陋。因此，我从费曼那里学到了一个宝贵的经验，就是**采取尽可能省时省力的方法高效地阅读和记忆，加强对知识的理解力**。我们学习不单单是读了几本书、看了一堆资料那么简单，而是要从里面获取有益的信息和学会分析问题的方法。

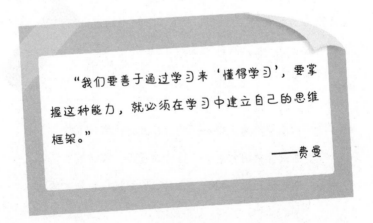

"我们要善于通过学习来'懂得学习'，要掌握这种能力，就必须在学习中建立自己的思维框架。"

——费曼

在学习中成功地建立起自己的思维框架，对知识进行系统性的理解和吸收，也是高效地阅读与记忆的一个基本原则。在这个大的原则下，包括了两个小的原则：

第一，快速地获取有益信息。

费曼认为大量的阅读在初期是必需的，充足的阅读量能让我们在大脑中建设一个"信息池"，里面装着各式各样的信息，不排除很多是无益的甚至是有害的信息，但只有这样你才能更为清醒地认识到哪些是有益信息，逐渐产生一个筛选信息的有效的标准。在之后的阅读中，随着阅读量的增加，你筛选信息的能力便越来越强，速度也越来越快。

第二，学习发现问题和分析问题的方法。

建立自己的思维框架后，我的理解是便拥有了一个发现问题和分析问题的成熟的工具。在学习的过程中，你从知识中发现问题，分析问题，将问题提取出来做系统性地理解，找出解决的办法。因为有独立的思维框架，你能把问题延伸到自己的身上，结合自身的实际情况，按照自己的思路对信息抽丝剥茧，最后形成一套自己的解决问题的办法。这时候，学到的知识才变成了你的智慧，再经过一定的实践，成为真正适合于你的方法论。

在阅读和记忆中，我们一边学习自己需要的知识，一边建设属于自己的思维框架，不但能加强对知识的理解，也会开始扩充自己的思维视野，同时在学习中积累对自己富有价值的**"知识点"**和**"技能点"**。

从长远来看，阅读和记忆并不是一场数量的比赛。我们所学知识的数量向来都是一个伪命题。不是说你读过的书越多、记下的知识越多，你的（学习）能力就越强；而是说，当你能从较少的知识中也能获取到比他人更多的有益信息时，你对知识的理解和运用能力一定是更加优秀的。

第十章　第一次复述

费曼学习法格外重视"输出"的作用——简单地讲，输出就是**复述你所学到并理解到的知识并让听者理解**。第一次复述要做什么，是先讲给我们自己听一听。你要尝试着将学到的东西为自己讲解一遍，看能否像计划得那样理解，或者至少透彻地解读一大部分？

2017 年，著名信息收集和咨询机构盖普洛公司曾经做过一次调查："当你读完一本书时，是立刻放下它去找下一本书，还是对书的核心思想重温和整理一遍？"这是一个关于读书习惯的问题。该调查涵盖了中、高校学生，白领和企业管理层等 60 万人。结果显示，43% 的人读完一遍便对书弃之如敝屣，懒得再看它一眼；21% 的人把书放到一个醒目的位置，告诉自己有想不通的地方再回来翻阅，但也就想想而已，隔几分钟就忘了；20% 的人会做温习读书笔记的工作，将有用的知识整理出来；仅有 16% 的人能抽时间将书中的知识以复述的方式强化认知。

调查人员说："我们对这个数据感到遗憾。良好的学习习惯决定着人们最终的学习效果，多数人在学到一个知识后即便倒背如流，其实也并不知道该怎么表述它。也许他心里清楚大概怎么回事，但他无法流利、精确地把这个知识描绘出来。知识在他们脑中是一种薛定谔的状态，好像学通了，又好像还差很多。在时间的侵蚀下，学到的知识一点一滴、悄悄地流失，直到有一天他突然发现，已经完全记不起那本书讲的是什么了。"

比如，你像我一样刚读完了塔勒布的《随机漫步的傻瓜》一书，希望把这本书推荐给别人。你个人觉得书的内容无比精彩，每读一章都击节叫好，有醍醐灌顶之感。但你会怎么向朋友和同事描述这本书呢？你真的已掌握书的精华？这就是整理学习笔记和复述的重要性。你可以先练习一遍，把自己当成是你的朋友，对着一面镜子，假设这是一个非常严肃的场合，对方想听一听你的看法，把书中精华的内容讲给他，确保他能完全听懂。

我建议你放下手中的书，创造一个类似的场景，然后问自己："本书的前面几章我已经读过了，现在我能复述一遍这些内容的核心思想和主要的观点吗？我有漏过重要的知识吗？"如果你能每隔一段时间重复这个过程，你在本书的学习过程中获得的收益将远远大于那些从不复述的人。

同理，我们学到的任何知识、接触的任何课程、视频乃至图片信息，你都可以用这种方式复述出来。这是对知识加深理解的最简单和最有效的方法，也是必不可少的步骤。

对自己复述一遍可以帮助你：

建立长时记忆

一旦展开复述，我们就不得不回忆刚刚学到的内容，就像放电影一样。那些短时记忆从大脑中纷纷被调取出来，经过梳理、强化和初步形成知识系统，其中重要的部分便转化为了长时记忆。这个原理很简单，我们都知道——默读过的知识如果再朗读一遍，记得便尤为清楚。

加深对知识的理解

在复述知识时，相当于你沿着自己的学习思路和知识的逻辑又走了一遍，对知识的要点、立论和逻辑体系的认知更加明确，理解也更加深入，还可以发现很多学习时被忽视的细节。我在读书时常常温习两到三遍才能悟到原先没领会到的作者的意图。这么做总能加深你对知识的印象。

更加主动地学习

当你将复述作为一项任务加入学习计划中时，学习的过程中你就能有意识和主动地对知识的重要部分加强理解，对论点、论证过程和逻辑基础也就更为敏感。这样一来，被动学习便过渡到了主动学习，提高了学习的效能。如果你没有一个复述的想法，学习时大脑逮着机会就会偷懒，它抱着完成任务的心态敷衍你，学习的效果往往不如预期。

对知识展开联想

复述不只是对知识背诵、整理一遍或只介绍大概，而是会让你发现过去不曾有过的想法，或者突然冒出新的思路。你自己的观点和所学的知识在复述的过程中彼此碰撞交融，产生灵感的火花。这会带来意外的收获，为你拓展学习的视野。

得到关于问题的反馈

需要一提的是，有很多公认的"好知识"盛名之下其实难副，权威的观点和论证也并非不存在问题，复述能帮助你尽可能发现那些与实际应用不相符合的内容。在复述时你可以对知识中的某一个论点、论据或论证逻辑提出自己的疑问，再从温习中找到反馈。这能为你养成很好的学习习惯。

第一次复述时，应该如何实施从开始到结束的整个过程？我们可以分成三个阶段：

第一个阶段：凭印象复述。

开始复述时，可以描绘一下那些你自己记得最清楚的内容，把印象深刻的部分讲述出来。比如特别的观点、有趣的案例和别出心裁的论证等。不用顾虑说得是否准确，要自由、大胆和随心所欲地讲出自己的印象。根据这些讲述出来的印象，回头可以去整理这些知识点，进行二次学习和比对。我有一个习惯，了解到一个知识时我先快速自己把它讲一遍，然后统计哪些讲得对，哪些偏离了原意，回头再根据这个统计重点学习。

第二个阶段：复述中提出问题。

第二个阶段并不是在几天之后，而是随后进行，也就是当你对自己讲完对知识的初步印象后。比如喝一杯茶，在 5 分钟、10 分钟之后。这时我希望你的手上多了一张纸，上面记着你在第一个阶段复述时印象深刻的知识点。这个阶段的复述不仅仅是重温你刚刚学到的内容，而是有意识地将它们与自己过去已知道的知识相结合，进行对比、怀疑、分析，看能否用自己的逻辑很好地把它们融合到一起。如果不能，针对这些知识点提出新的问题，写下一系列的"为什么"。你要解决这些"为什么"，才能把知识变成你自己独有的智慧，并且成功地输出给别人。

第三个阶段：复述中加入自己的观点。

最后一个阶段是为了完成我们对于知识的理解和升华。通过对所学内容的复述，一边说一边对比检查，把自己的观点加进去，实现新知识与自身已有的知识系统的衔接。比如，我学习了如何维修汽车发动机，便和自己开车时总结的经验结合起来，为一些过去的疑问找到了答案，对汽车便有了更深的见解。当你在新知识的基础上形成了自己的观点，才能到各个分享平台传播你的见解，输出你的观点，从更大的群体中获得更广泛的反馈，加速自己的进步。

第十一章　费曼技巧：系统化原则

在费曼学习法中，一个很重要的原则就是系统思考——用系统化的思维去理解知识，归纳、筛选和分析知识，才能最终消化知识，为我所用。在课堂上费曼比喻说："构建知识系统就像修建一张四通八达的交通网络，每一条路有它的出发点，也有它的终点，路和路有交汇点，也有信息处理中枢，互不重叠，知识就是这张网络中的汽车运输的养料，它们运转有序，去往该去的地方。"

要达到这个目的，我们就需要遵守一些原则：归纳、筛选和分析。这些原则非常重要，也是平时的学习工作中应该具备的技能。因为系统思考从本质上讲，就是从事物／知识的互动关系入手，而非从事物／知识本身入手。即，去思考知识和知识之间的关系，才能在学习中对事物达到较为深入的理解。

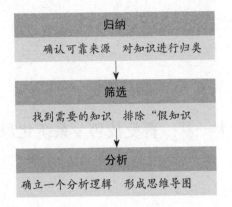

根据心理学家的研究，人类的思维方式共有四种，分别是水平思维、发散思维、收敛思维和系统思维。其中，水平、发散和收敛我们亦可看作是系统思维中的三个工具，就像桌脚或汽车的轮子。在各行各业的学习中，不管是产品思维、互联网思维还是营销思维，不过是上述四种思维方式的具体策略或者变种。

在执行这三项"系统化原则"时，要学会运用水平、发散和收敛这三种工具对知识展开理解：

第一，水平：归类对比。

从多个方面看待同一个事物，即设立不同的甚至完全对立的角度去分析知识。书中告诉你应该向东，你要尝试思考一下向西，在对比中进行验证。你也可以展开逆向推理，想一想："如果李笑来的观点是错的呢，难道不可能吗？如果罗振宇说这些话的目的是为了商业营销而不是真心为了观众呢？"这就能帮你寻找到一个不同于大多数人的角度，辨别知识里面的水分。这么做能帮助你跳出知识本身的"逻辑陷阱"。

第二，发散：思维导图。

对知识进行四处的发散、联想和分析它们的关系，在知识与知识之间建立联系，特别是让它们与不同的知识发生关系，看看有什么新的东西出现。本章倡导的思维导图是一种很有效的方式，它既能简明扼要地让我们看清一本书、一个项目、一个学术论点的整体框架，也能发现它内在的逻辑基础。在这个环节，即使胡思乱想也是有价值的，你可以任意想象。

第三，收敛：知识结构。

最关键的一步，是将学到的零散的知识点和信息聚集起来，如同盖房子。这是一个把知识结构化、系统化的过程，简化你了解到的知识，同时改善或者构建一个属于你自己的知识框架，从而更快速、全面和深入地理解或解决你正在面对的问题，提升自己的水平。

输出是最强大的学习力

 关键词：输出

设定一个传授的场景，当我们要输出这些知识时，才会真正清楚自己究竟掌握了多少，发现那些还需要强化和加深理解的内容。

第十二章 以教代学

"以教代学"是费曼学习法的核心。他说："如果你不能向其他人简单地解释一件事，那么你就还没有真正弄懂它。"这不是空洞的大道理，而是一套科学的学习方法。物理学家费曼把它变成了一个学习系统中至关重要的部分。即，在学习的过程中向其他人输出你学到的知识。假设有一个外行人站在面前，你要用对方听得懂的语言把这些知识解释给他听。经过反馈，再检查自己的学习效果。

在学习中，听、看和阅读是被动学习，这也是我们中国学生最擅长的技能。我在教学中遇见的 99% 的"好学生"，他们的思维和行为模式惊人的一致，那就是认真地听、拼命地记和反复地高强度练习，依靠勤奋促进知识的增长。但这些方式在内容留存率上处于偏低的水平（见下图）。只有以讨论、输出为主的学习方法，才能用较少的代价获得较高的内容留存率（见下图）。

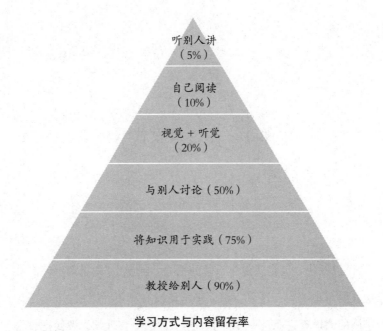

听别人讲
（5%）

自己阅读
（10%）

视觉 + 听觉
（20%）

与别人讨论（50%）

将知识用于实践（75%）

教授给别人（90%）

学习方式与内容留存率

在教学工作与自己的学习中，费曼的方法对我影响甚大。无论是自己写文章，还是向学生解释一些新的概念、知识点，我大量使用了类比的方式。有时候我自己并未彻底地理解，但也尝试在通俗的解读中与听者共同学习这些知识。不少与其他知识的类比是我在学习时自己产生的理解，然后在输出时从听者那里收取反馈，很好地修正自己的判断。

有位朋友给我举了一个例子。他是一名汽车工程师，当他学习汽车的机械原理时，对变速箱的工作原理学了很久也仍然不得其门而入，觉得很难搞懂。后来他到网上查找视频，看到一位国外的工程师在视频中介绍变速箱，其中有一句话："我们可以将汽车的变速箱看作是山地自行车的变速齿轮。"这位朋友豁然开朗，按照这个方法，很快便明白了它的工作原理。

谁都能听懂

视频中的国外工程师在介绍变速箱的知识时使用的就是费曼学习法。他没有把书上晦涩难懂的专业术语拿出来贩卖，炫耀自己的知识深度，而是将汽车的变速箱类比为自行车的变速器，一下子就把专业语言"翻译"成了人人皆知的大白话，不懂汽车的门外汉也能听懂七八成——只要他懂自行车。想想看，生活中有几个人不懂自行车呢？

将注意力回转到你自己的行业，对于你来说，如果我让你用一段最简单和朴实的语言把你从事的工作或者你擅长的领域中的那些核心的知识讲给一个从未了解过这一行业的人，你认为自己能够做到吗？

如果你是天体物理学家，怎样用几句话就让从未学过物理的人明白"引力波"是什么？

如果你是一位作家，你能把一首充满生僻字的《诗经》里的短诗向从未上过学的文盲解释清楚吗？

如果你是战斗机驾驶员，如何用两三句话就让一名小学生听懂飞机发动机的工作原理或者飞机是怎么拐弯的？

　　如果你是软件工程师，你能让完全不懂电脑的人很快了解电脑病毒的攻击模式吗？

　　以教代学最重要的一个要求就是，你必须做到在解释这个概念时只需把它写成一两句话，说出来，就能让一个完全不了解甚至没听说过这个领域的菜鸟听得懂，还要有很深的印象。你要用最通俗的语言去阐述它，用最普通的词语和最短的句子，同时做到精准无误。这就可以让你在传授这个概念之时检查自己是否真的已经学到了全部知识，加深对于知识的理解，顺带发现那些隐藏的问题。

　　不久前我读到一篇故事，讲的是一位农民，他大字不识一个，但他的女儿考上了清华，儿子考上了北大。有人对他说："你这人可真厉害，是不是在教育上有绝招？说出来分享一下？"这位农民直挠头，老老实实地说："我没文化，哪懂什么绝招？我只是觉得，孩子上学不容易，要花很多钱，费很大的精力，一定要对得起这些投入。所以当孩子放学回家后，我就让他们把老师当天讲的课对我讲一遍，就当我是一个学生。如果我有听不懂的地方，就让孩子解释。如果孩子解释不出来，我就让他回到学校后请教老师。这么一来，我的孩子学习的劲头就很好，因为他们要回家教我的嘛！学习成绩也一直很好，从小学到高中，从来都是名列前茅。"

　　他所使用的就是费曼学习法，虽然他自己意识不到，但无形中帮助孩子用以教代学的模式在学习中获得了高于其他同学的效果。每当想到这个故事，我总有一股把它讲给自己学生家长的冲动。家长在家庭教育中不能只负责检查作业，督训孩子的学习，还要主动当一名听众。这位父亲不仅让孩子成为优秀的学生，还无意间使自己的孩子扮演了优秀老师的角色，锻炼了他们的语言表达能力，培养了他们的思维能力，可谓一举三得。

简洁和有深度的分析

网上曾经有一门十分流行的课程，名字叫作《如何成为有效学习的高手》。主讲人向听众分享他在学习方面的经验时，讲到的第一个原则就是——**学完一门知识，他就将它制作成课程，挂到互联网销售**。这位主讲人的思路也是费曼学习法"以教代学"的方法，既是目标，还是一种倒逼式的学习策略。

试想一下，将你学到的知识制作成一个人们愿意付费购买的课程需要具备哪些条件呢？这就让学习不再是你一个人的事情，因为人们花钱买你的知识肯定不是随便看看的，是为了从你这里学到有用的东西；现代社会的生活和工作节奏越来越快，人们也不想在读书求知上花费太多的时间，所以你的课程必须简洁易懂，不能让人一边看一边查资料；同时，还要具有自己独特的分析，也就是知识的深度，学了以后能够解决实际的问题，这样人们才觉得钱花得值。那么，在输出知识时你就不能简单地复制粘

贴，而是既能总结出知识的精华，又能加上自己深刻的理解，还
要用大家都能看懂、听懂的语言往外传播。

第一，语言简洁易懂。

正如前面所说，你在阐述一门知识时能否让一位没文化的农
民也能立刻听得懂？另外，能否做到用最少的话表达出最多的内
涵？这很考验我们的语言组织和对精华知识的归纳能力。

第二，精准到位，没有歧义。

要精准，就要用对词，既精练又犀利地把知识阐述清楚，要
保证听者第一时间就能够领会到你的观点，而且跟知识的原义相
符不会产生误解。当然可以有误差，但不能出现根本的偏差。

第三，讲出一定的深度。

要有深入的分析和延伸，讲出知识的应用和比较重要的价
值。不能仅是肤浅的阐述，否则以教代学就失去了应有的意义。
大部分人很难做到这一点，是因为他们在学习时从来不思考，总
是囫囵吞枣，以死板的记忆而不是以深入的思考和灵活的应用为
目的。这样的学习在输出知识时便自然而然地缺乏深度，只能充
当一个复读机的角色。

第四，加上自己的理解。

在把知识教授给别人时适当加入自己的原创观点，或者举一
反三，引入其他的知识作为比照，在对比中突出你所具备的知识
的特点。这么做可以通过听者的反馈来验证自己的理解，有机会

发现问题，回去再从进一步的学习中改善这些问题。

强化认知

　　阐述知识的同时，我们也在强化自己对于知识尤其是重点内容的认知。这个价值一点也不难明白，看起来是你在教授别人，其实是在以输出的方式促使自己对于"重点内容"进行二次学习，直到彻底地理解和掌握这些内容。

> "多数时候，我们的学习不过是在朗读一页又一页的 PPT，发现自己不会说的便直接翻过去。我们没学到，别人也不知道你没学到。"
>
> ——费曼

　　PPT 是一种简化版的信息记录平台，亦可称作概要，上面有的是只言片语。这种蜻蜓点水的学习状态你也可以想象成是在将电影胶片在一个粗放的镜头前面飞快地拉过去，每一帧上的信息是有限的，缺一两帧也不易被人发现。我们在学习时发现自己不明白的地方，有可能便直接忽略，其他人也不会知道。这种**就易**

避难的做法，正是我们平时学习时根深蒂固的坏习惯。我们清楚这不对，可很难改正。

但是，当我们需要放弃一个人学习的"默读模式"转而去教授别人，要把一个知识点分解开传递给对方，并且保证让他100% 地理解这个知识点时，PPT 或胶片模式便不管用了，我们要切换到类似于写作的全神贯注的状态。

写作是什么状态呢？首先，需要作者一字一句地斟酌，每个字都要自圆其说，每句话都要逻辑严密，承前启后。因为读者阅读时不会一扫而过，而是细细地品味，一旦存在情节的漏洞或在逻辑上说不过去，作品就是失败的。其次，写作也需要作者对内容做到深入的理解，尤其是驾驭知识的难点。如果你自己都不理解，那就无法写出来让读者认同和接受。

以写作的模式去对待知识，学习知识，输出知识，我们就不得不反复思考其中重要的知识点，提炼语言，然后才能成功地实施以教代学、以教促学的学习方法。费曼说："当你要把一个知识教给别人时，等于打开了一系列的开关。"包括思考的开关、逻辑的开关、语言组织能力的开关等。就算你不是一名优秀的知识传授者，上述原则中总有一两条完成得不那么完美，至少也能让自己对知识的理解比过去更为深刻。只要能够取得进步，我们的努力便已经获得了一个及格的分数。

你能让 7 岁的孩子理解一个高等物理术语吗？

有一年，我曾经尝试让 7 岁的侄女知道什么是股票、黑洞、波粒二象性、薛定谔的猫等对这个年龄段的孩子过于高深的知识。有些概念她连词语的表意都不清楚，也从未听说过。那是一个无比奇妙的过程，对我有很多的启迪。我发现，孩子的理解能力其实一点也不低，当你表述得当时，他们可以接受一些远远超出成人想象的知识，也能和你互动。

如果我这样对她说："波粒二象性是微观粒子的基本属性之一，微观粒子有时显示出波动性，有时又显示出粒子性。像光，它既是波，又是粒子，两种属性同时存在。"她肯定听不懂，甚至会觉得我这人莫名其妙，唠唠叨叨不知在说什么语言，一点也不好玩。

我不能对小孩讲一堆物理术语，而是换了一种表达方式，问她："你知道光是怎么回事吗？"

她说："别小瞧我，我当然知道，灯泡通电会发光，手电筒会发光，火柴点着了会发光，太阳和月亮也会发光。"

我又问："那你知道光怎么运动吗？"

她毫不犹豫地回答："光跑这么快，一定是直线！"

我摇摇头："不是，光既跑直线，又跑曲线。有个知识叫'波粒二象性'，说的就是这个事情。"

　　侄女的眼睛顿时瞪得很大："真的吗，我怎么看不见？"她去房间拿出手电筒打开，在墙上照来照去，试图找到光走曲线的证据。

　　我说："跟我来！"去水龙头倒了一盆水，从花园找了一颗石子，"看着。"我把石子扔进盆里，水面顿时泛起了涟漪。她迷惑地抬起头："这是什么意思？"我解释说："这就是波粒二象性的一种表现，就像水激起的浪纹一样，波动着往前走，你再看看是不是？"

　　侄女眼睛一亮："是不是也像个螺旋？"

　　尽管形容不太准确，但她大体明白了这个知识。经过进一步的聊天，她知道光是由光子构成的，光子体现粒子性，行走的路线又体现波动性。对7岁的孩子来说这已殊为不易。我对她描述这个内容时，没有使用一个专业术语，而是用水的波纹进行了类比，她非常快地听懂了这个知识的内涵。

　　让听者在他的能力和已知知识的范围内可以迅速地理解，是我们输出知识时的一个基础原则。否则你就是在鸡同鸭讲，对方听不懂，你自己也很累。**你懂得什么并不重要，能让任何人都能听明白，才代表你真正地学透了这个知识。**

第十三章　用"输出"倒逼"输入"

在费曼学习法中，"输入"可以帮助"输出"，"输出"可以倒逼"输入"。输出知识就是在扮演一名老师或传道者的角色，在教别人领悟这个知识时，大脑能自动地启动检查程序，看看学到的知识哪儿有问题，哪儿还不够明白，发现知识的阻塞环节，进一步地打通已经学会的内容，让它们与自己的知识体系建立紧密而有益的连接。

我们教授别人的过程同时还具有一种强化记忆并且加深理解的作用。在传授的场景输出给别人以后，对于重要的知识点，你的印象将更加深刻；对不容易理解的地方，你的分析也将更加深入。

因为在你教授给别人的时候，对方若经思考，就一定会提出他质疑、疑问和新的想法。你们之间的互动就产生了，一问一答，就会促进对于知识的有效学习，增强你的认知和理解。退一步讲，即便没有互动，他是一个安静的倾听者，你也能检验自己的记忆是否存在偏差，表达是否足够准确。

输出的"记忆学原理"

倒逼输入，最直接的好处是加强了对于特定内容的"留存率"。什么是留存率？打个比方，就像一张滤网，我们把所有的信息从滤网上倒下去，留下来的就是学到的知识，它除以知识的整体，得出的结果就是留存率。比如，十页的书你记住了一页，留存率是10%，记住了九页，留存率就是90%。可见，留存率越高，学习的效果就越好。如果学了东西一点都没记住，说明留存率是零，记忆功能在此处令人惊讶地失效了。显然，这表明你的学习策略出了严重的问题。

在记忆学的研究中，科学家认为**记忆是过去的经验在人大脑中的反映，它不但是神经活动，还是一种复杂的心理活动**。虽然神经细胞承担着记忆的主要责任，但人的心理活动却影响着记忆最终的效果。记忆的形成包括了识记、保持、再现和回忆四个基本环节，每个环节都不可或缺，也都由神经细胞和心理活动共同完成。

其中，"识记"是我们通过对信息的感知并在大脑中留下印象的过程，是记忆的开始，也是记忆的关键部分。识记的成功率如何，直接决定了后面四个环节的效果。科学家发现，有意识记的成功率高，无意识记的成功率低。提高记忆最直接的方法，就是促进"有意识记"，加强大脑对于信息的第一印象，使大脑主动地开启记忆程序。

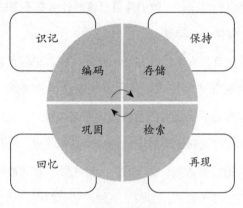

知识的记忆流程

第一，识记——编码。

我们的感官系统对于外界的刺激并非是悉数接收，不存在不加以区别便全部输入大脑的情况。因此识记信息时大脑有一个编码的步骤，即精准地识别信息，记录信息，把那些**应该被记忆的内容**挑选出来。

大脑主要靠经验和感知去判断要选择哪一些作为编码的对象。比如阅读一本书，你会重点记忆那些好看、专业和能解决问题的内容，这由你的经验和阅读时的感知来决定。为了提高编码的效率，我们要保证自己拥有一个完整的知识系统，能对信息进行系统性的程序化处理，接触到的知识进入大脑前都会被自动化地归类。

如果你的大脑缺乏知识系统，在对信息识记编码时就会遇到麻烦。这就是有些人学习不仅老记不住知识而且连该学习哪些知识都稀里糊涂的原因——**他们连自己该学什么都不清楚。**

第二，保持——存储。

存储信息就是大脑形成神经回路的过程，也就是使神经元的连接越发紧密并产生定式。这个定式就是神经回路。我们的眼睛、耳朵等感觉系统获得信息以后，先储存在"感觉区"内，时间非常短，此时尚属于短时记忆，也叫第一印象，等待大脑加工处理，然后把信息传入"海马区"。在这里，海马神经的细胞回路网络受到连续的刺激，加强了突触的结合时间，信息停留的时间被延长了，便产生了"第一级记忆"。

举个例子，当你看到一个词发现自己不了解，随后就去干别的了，对这个词的记忆就停留在"感觉区"，它属于第一印象。如果就此打住，不久大脑就会把它遗忘或搁置。你从抖音看到一部电影的片段，觉得很好看，但你没采取进一步的行动，接着看别的视频，于是很快就想不起来这部电影的名字。如果你没有去干别的，而是打开百度搜索，找到了这个词、这部电影的词条，简单地看了几眼，了解到了大致内容，此时就是"第一级记忆"。接下来，你认真地浏览内容，寻找自己需要的部分，就会进入"第二级记忆"。神经学专家认为，蛋白质参与了这个阶段的信息保留，意味着信息将被使用，大脑对它真正重视起来。你将记住这部电影的名字，很可能会下载到电脑中安排时间观看。

当你继续详细地了解相关的内容，并且反复阅读和做笔记时，大脑的记忆机制就会推动产生神经回路网络。知识是怎么成为记忆呢？是新突触的联系比过去更频繁地增多了，联系越多，记忆就越牢固，知识在大脑内就会更长时间地保持和存储下去。

第三，再现——检索。

当我们需要输出知识时，对记忆而言一个重要的变化将会产生。如同平地起惊雷，大脑将开启管理知识的新模式——**从单向的输入转变为同步的输出和输入**。输出知识时，我们的大脑内要准确地再次呈现神经元反映的信息，指导合成信息蛋白并把知识再现出来。在这个过程中，我们还要从大脑中找到信息，检索那些关键的部分。

比如，你用一个月的时间读完了一本财务专业的书，这时有人过来请教："我也报考财务专业，你读的这本书怎么样，能跟我讲讲吗？"你会发现自己的角色瞬间发生了改变，从一个单纯的学习者变成了要对别人传道授业的师者。你不再是"学生"，而是其他人的"老师"。过去 30 天学到的财务知识，此时要把它们一一找出来，还要浓缩成一个可以简单地向人阐述的版本，但又必须包含书中最重要、精彩的内容。

为了完成这个任务，大脑不得不进行一次紧急动员，从存储区检索这本书的所有的信息，把它们全部找出来；不仅再现，还要二次组合。从记忆学的角度，这会让我们的长时记忆保持得更为牢固，对知识的理解也会更上一层楼。很多人都有这个体验，成功地了解了一个知识，过段时间回忆、温习和重述时，会发现自己有了新的感悟。这就是再现和检索在大脑中起到的作用。

第四，回忆——巩固。

我们学到的知识如果不加以复习，结果注定是遗忘。输出就是一次高质量的复习，起到巩固记忆和提炼核心知识的目的。通过有针对性的、反复地输出，长时记忆甚至可以转化为永久记忆，做到终生不忘。我们在生活和工作中不假思索便能运用的知识，大部分都源于长时记忆或者永久记忆。

你用 20 分钟向朋友介绍了自己刚读过的财务书籍，讲了大约 2500 字。这 2500 字包括概要、作者的权威度、重点知识、适合人群、应用方向等内容，涵盖了他的关注点。解决对方所关心的问题的同时，你也为自己的学习效果又加了一把安全锁，对这本书的理解更为深刻。过几天重新阅读这本书，你能获得更好、更深入的体验。

再比如，你需要记住一条投资原则来指导自己理财。这条投资原则有文字语言，有图片分析，还有大量用于计算的公式，是非常专业的知识。如果单向地输入和机械地记忆，我认为你需要花很多的时间，几个星期，甚至几个月也未必彻底地学透，掌握其中的规律。但是运用输出的方式，找一位或数位朋友一起讨论，你把这条原则解释给他们听——整体讲述或拆分成不同的小节，时间就会大大缩短，也许几天的时间你就能对这条投资原则熟记于心。我建议你找那些不熟悉投资理财的朋友，这样能减轻你在输出时的心理压力，增强表达的信心。

因为从记忆学的角度看，在输出相关的知识时，等于我们的大脑不断地重复记忆的四个环节：识记、保持、再现和回忆，一遍又一遍地开垦这个知识，倒逼输入，也加快记忆和理解。

场景和思维模拟

假如在输出知识时我们能设计相应的场景，并逼真地模拟出不同场景中人们对应的思维方式，使我们如临其境，将强有力地刺激大脑的学习和记忆功能，在特定的场景输出知识的过程中获得意想不到的更好的效果。

模拟解说者的场景： 假设你正向人们介绍一门对他们很重要而且迫切需要了解的知识，务必取得他们的认同。例如演讲。

模拟受询者的场景： 假设你正接受质询和考核，必须回答问题和阐述你对于某个话题／知识的看法。例如面试。

模拟传授者的思维： 模拟老师或其他传授者的思维去阐述你对知识的认知，不要把自己当成学习者。例如讲课。

模拟质疑者的思维： 模拟怀疑／否定／质疑者的思考

方式，想想他们会提出怎样的疑问，然后逐一解答。例如辩论。

对场景和思维的模拟十分有趣，我们在童年时经常这样互动，玩游戏，或者熟悉某种规则。我们会假设是一对夫妻过日子，构思对话；假定正进行一场战斗，指挥官对士兵发布命令；想象自己是科学家，对小伙伴解释如何才能飞上月球。为什么成年后这些行为却消失了，难道是因为这么做的效果不好，这些举动过于幼稚吗？不是。是我们失去了毫无顾忌地探索未知的勇气并埋葬了内心最富有力量的那种纯真的激情。现在，是时候把它们找出来并且重新赋予动力了。

美国心理学家佩沃（Paivio）在 1975 年提出了关于长期记忆的"双重编码"理论。他说："我主张对文字信息的处理以'意码'为主，即**抽象理解**，对非文字信息的处理以'形码'为主，即**图像理解**。例如一块手表，它是非文字信息，我们可以在大脑中直接产生一个手表的图像，然后再表达为计时工具。手表的图像是信息的形码，计时工具是信息的意码。记忆时这两种方式同时起作用，平行和紧密地联系，必要时也相互转换。通俗地说，大脑会为自己看到的、记住的任何一样东西同时给予一个抽象理解和图像理解，就像我们在图片旁边做文字的标注一样。"

这和费曼的主张异曲同工，但费曼的方法相对又高了一个层级，他建议我们在学习中实施双重编码时创造一种**模拟环境**，为信息设计一个扎实的落脚之处，而不是孤立地等待大脑的录入。简言之，我们要把学习对象放到一个应用场景中，将自己放到一个需要表达它、分析它、理解它的实实在在的角色上。

比如，你看到一篇文章写得很好，内容值得我们反复地琢磨和学习。你应该假设自己懂得了这篇文章的宗旨和价值，并把它告诉另一个人。就算只是大概的意思，也要像很懂行那样把它讲出来。说错了也没关系，因为我们最终的目的是既记住这篇文章的抽象意义，也理解这篇文章的图像意义。在模拟的过程中，这两种意义都能从模糊到清晰地呈现出来，让你长时间地记住它们。

输出是主动学习

费曼认为，以教代学的输出方式属于主动学习，是拒绝等待着被知识垂幸而去主动地征服，是不想被知识选择而去为知识建立一个具有自己标准的过滤器。这两种态度截然不同，总是迅速地产生相差悬殊的效果。

> "我发现，在同一条起跑线上，主动学习的人在 10 年后会超出被动学习的人至少两个社会阶层。"
>
> ——费曼

这个结论有据可查。很多世界知名的机构针对学习与成功的关系做过不止一次的信息调查，收集了数万名企业家、职业经理人、都市白领和普通打工者的学习经历，了解这些人的学习方式和成就。最后发现，那些顶级企业家和优秀经理人早在成功之前甚至很小的时候就建立了主动学习的习惯，有很强的表达和输出知识的欲望，从不死记硬背。当年和他们一起读书的校友中，习惯于被动学习的人如今大部分籍籍无名，和他们已不在同一个社会阶层。我们都知道"学习改变命运"这句话，实际上正确的说法应该是："高质量的主动学习才能改变你的命运。"

因为在主动地输出知识时你会不停地思考："我怎样才能让对方听懂？如果要让对方听懂，我得使他明白最重要的知识点是什么，我得用他能听懂的语言。不过对这个知识点我好像也不太明白，这是为什么？"

　　这是一种无法推卸的压力，是大脑承接的一项重大任务，它认可并主动地告诉你去查阅资料，温习知识，有针对性地理解学习的内容。向别人讲述的过程中你一定遇到一个问题，那就是讲到一半时忽然发现自己的大脑一片空白，不是说不下去了，就是只能重复某些内容，好像一辆汽车在高速公路上迷航，只得在应急车道上原地转圈。这恰恰是在提醒你——你所学到的知识中有的内容你尚未掌握，必须回头重新理解。

第十四章　第二次复述

　　现在很多人的学习存在着一个非常突出、难以解决的问题：投入比产出低。课堂上的老师卖力又辛苦，学生自己也觉得又累又痛苦。不管是教还是学，双方的效率都很低。在学习者眼中，自己早起晚睡付出了极大的努力，却得不到应有的回报，由此还会抱怨："为什么比我笨的人成绩比我好？"原因不外乎我们已经讨论过的，如果你只是单纯地学，对自己实施"强灌式"的输入式策略，吞下的知识越多，消化的知识就越少。

　　最好的解决方案就是改变传统的学习方式。在费曼学习法中，要格外重视第二次复述——**第一次复述是把自己当作倾听者，第二次复述是进入一个真实的传授知识的场景，向别人甚至多个人阐述你对某项知识的看法**。这不仅可以有效地学习，使学习的效益发生翻天覆地的变化，还能达到集体讨论的目的，从听者的反馈中获取有益的信息，然后开展创造性的学习。

被誉为近代教育之父的捷克教育学家、心理学家扬·阿姆斯·夸美纽斯（Jan Amos Komensk）有句名言："兴趣是我们最好的老师。"开展复述时一定要贴近自己的兴趣，围绕自己的爱好：

> 我最感兴趣的部分是什么？（个人的目标）
>
> 我最擅长的讲述方式是什么？（个人的优势）
>
> 我最想跟对方交流的知识点是什么？（与外界的联系）

围绕这三个答案去展开复述，在与别人的互动场景中探求知识，催化自己的深度学习。兴趣，是第二次复述时我们要重点解决的问题。有时你未必能在学习的过程中及早地发现自己最需要和感兴趣的知识是什么，但在向别人的阐述中通过高质量的互动，就能够轻易地找到答案。阐述知识时大脑会以某种方式提示你——那些你理解最深的知识点，可能就是你比较擅长的部分。

利用分组讨论的机会

我很喜欢在跟朋友周末聚会时讨论自己正在读或刚读完的一本书，推荐给他们。我会说："最近有一本新书写得很好，是讲……的，书的主题是……，其中最值得读的内容是……。你们感兴趣吗？"这是第二次复述的完美场景，它最好是多个人，大家的时间充裕，人们愿意耐心地听你阐述一本书、一个知识点或者一些学术问题。如果听者没有时间或缺乏心情，这种复述的意义也不大。在第二次复述中，我们不需要乏味的个人表演。

这是分组讨论的特点。一方面，分组讨论在我们学习中出现的机会不多，即便在学校中，也往往只在特定的情形下出现，比如由老师、社团组织，要抓住这个宝贵的机会；另一方面，参与讨论的人在听你阐述时，他们扮演着反馈、沟通、质疑等多种角色，有助于你及时检查自己的学习成果。这比自己检查的效果更好。

第一，"分组讨论"是自主学习的一种高效方式。

学习的"效能"永远是我们追求的很重要的一个目标，这是费曼学习法主张"以教代学"的根本原因，因为这样做能最大限度地加快学习的速度，提升学习的效能。你可以对一个人输出，也可以对一群人输出。所以我在教学工作中经常尝试组织学生进行分组讨论，我做一个引导者，然后鼓励他们在小组中主动发言，表达自己所学的知识，甚至互相争论。我也希望学生能定期自己组织这种讨论，而不是由外界推动。比如，最好成立针对某一学科乃至某一个知识点的学习小组。

当他们在校外、走上社会、参加工作以后的自主学习中，也一定要尽可能地创造分组讨论的氛围，将此养成良好的终生习惯。这种多人参与、互相帮助的学习方式极大地调动了他们的主动性和积极性。我去企业参观时发现，企业在开会时让员工当众解释自己的创意，向同事推演自己的思路，这也是以教代学的一种方式，能促进他自己的进步。

第二，帮助你设计复述提纲并且准备一些问题。

分组讨论和一个人对自己复述不同，容错率很小，需要做好充分的准备。一个人对自己复述知识时，你可以天马行空，想到哪儿说到哪儿，说错了也没关系。在那种自说自话的场景中，你扮演的是"万能上帝"的角色，随心所欲，无所不知。但对众人阐述你对知识的见解时，就要注意方方面面的问题。你不再是上帝，而是接受检验的演说家。你必须有一个完整的知识框架，有严密的叙述逻辑，有清晰的立场和观点，有精练的语言和表达，有准确的定位，有深刻的个人见解。分组讨论的场景要求你提前设计好复述的提纲，还要准备好一系列的能与听者展开互动的问题。

因此，要带着一个**优质的清单**做第二次的复述。在分组讨论的过程中，针对提纲中的概要和一系列的问题，条理分明地讲述给别人，引发人们的讨论，然后各自发言，互相提出问题，再进一步了解所学的知识，更正自己的错误认知。绝大多数的分组讨论都是有益的，最后你能自己进行总结：学会了哪些内容，理解了哪些观点，收获了哪些新的知识。

第三，从听者那里获得中肯的评价和异议。

第二次复述还有一个重要的目的，就是从听者那里收取评价，最好是异议。我在跟朋友讨论一本书、一种理论或概念时，除了阐述我的看法，最希望听到的就是激烈的、相反的观点。越尖锐越好，越矛盾越好。这能打开一扇全新的窗口，引发我做进一步的突破性的思考。

我会思考：

> 他们为什么反对我的看法，是因为我的讲述方式，还是知识本身的观点？
>
> 他们的评价基于什么理由，那些理由是否站得住脚？
>
> 为了验证他们的观点与我的矛盾，我需要怎样复习相关的知识？

这些思考将我的学习提到了一个很高的水平，进入了更高的境界。从朋友正面的肯定和反面的否定中，我能清楚地看到彼此对于同一个知识点的理解存在哪方面的差异。这就是学习中非常重要的突破口：差异意味着问题，解决问题就是在获得智慧。

每个人不管做什么，做得好不好，内心都渴望得到别人的肯定，不想听到反对和批评的声音。因为肯定带来的是成就感，反对和批评带来的是挫败感。尤其在学习中，别人的肯定能让人们获得成功的喜悦，也会增强继续学习的信心。反之，就会打击学习的动力和自信。但是，如果全是肯定甚至是吹捧，这种掺满水分的"成就感"也会让人自我麻痹，误以为自己已经学透学精，还可能自我感觉良好，误以为自己的智力已经可以无所不能、无所不知了。

什么是中肯的评价？第一，评价的质量高。听完你的复述后，对方经过认真的思考，说出他自己的真实看法，评价里面有干货，有他自己的逻辑，这能激发我们在沟通交流中的二次思考。第二，评价客观。对方在做出反馈时不带倾向性，既不有意地示好，也不故意地找碴，本着实事求是的态度给出他的见解，这能与你形成良性的互动。异议的标准也是如此，对方的反对和批评意见可以提供一种新的视角，帮助你弥补自己在思考方面的软肋。没有人能事事面面俱到，天才也不行，小组讨论就是为了利用他人的思考为我们的学习查漏补缺，插上一对有力的翅膀。

为知识注入你的灵魂

没有灵魂的知识就像路边枯萎的树叶，看似脉络分明，却早已失去生命力。日本经营学堂"盛和塾"的创办人、著有《在萧条中飞跃的大智慧》一书的稻盛和夫（INAMORI KAZUO）说："讲述你的梦想，必须为语言注入灵魂。"第二次的复述要求我们从心出发，在阐述知识的同时也是在建设和展示自己的心灵品质，让听者能从中感受到积极的心灵力量。要理解学习的意义，全身心地投入学习，才能从学习、从知识中得到幸福，因为我们的灵魂与知识达到了合二为一。

第一，体现独具特色的语言技巧——使用你自己的语言

表述知识，而不是原封不动地背诵；

第二，结合现实阐述你对知识的解释——不仅把知识复述出来，还要让它在现实中落地；

第三，表达出你个人的分析和见解——复述不是当复读机，学习也不是当打印机，要为知识注入你个人的理解，并且通俗易懂地对别人讲出来。

死读书的人不乏记忆的天才，他们过目不忘，学东西很快，但这种学习充其量只是在机械地背诵和死板地存储。只有在记忆的同时还能为知识刻上自己的印记，学习才拥有了灵魂，知识也具备了新的活力。这么做需要有更大的毅力，因为你要对知识理解得更深，没有人监督，没有人鞭策，必须激活强大的意志力来保证自己一边学习一边思考。本节提到的第二次复述时举行小组讨论的方法为我们提供了一个较为省力的路径。

第十五章　费曼技巧：输出原则

为什么输出这么重要？因为学习要有致用的出口。有个成语说："学以致用。"这四个字包含了学习的目的，同时还告诉了我们一条学习的策略，那就是结合"致用"来学习，这和费曼的输出原则是同一个道理。现实中为什么许多人学了大量的知识却感觉毫无用处？不是这些知识无用，是他还没有建立一个稳定的"输出系统"。

美国物理学家本杰明·富兰克林（Benjamin Franklin）年轻时在印刷厂做学徒工，工时长，收入少。他不甘于这么沉沦下去，而是希望有朝一日自己的作品也能刊登在报纸上。想实现这个伟大的目标，就得刻苦地学习。

富兰克林怎么做的呢？

首先，他把报纸上的文章剪下来，读完一遍再抄写一遍，抄在散乱的纸条上。然后，他再把原文放到一边，打乱这些纸条的顺序，让自己忘掉原来的顺序，再重新排列它们。经过反复的练习，他就理解了这些文章，也懂得了如何去创作一篇好的作品。最后，他又提高难度，不是排列纸条的顺序，而是在一张白纸上默写自己读过的文章（复述），默写的时候不由自主地便加入了自己的文字。一段时间以后，他的文章便刊登在了报纸上。

在费曼技巧中，输出（以教代学）知识不是单向的一方向另一方传授知识，它是一个双向的过程。根据费曼的理论，我们可以总结出五个输出原则（如图）：

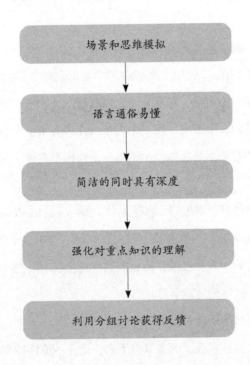

　　这五个原则是一个递进同时又互相联系的学习过程，如果要实现学习的高效能，它们缺一不可。学习的目的是为了让自己的知识有一个在现实中使用的出口，而学习的质量又取决于你能否在学习中拥有这么一条路径。

　　只要是系统地学习和掌握一门知识或技能，就必须为这门知识或技能找到一个或者多个出口，去输出它们，使用它们。经过这个环节的锻炼，你学到的知识才能真正地变成你拥有的一种本领，转化为你自己的智慧。

回顾和反思

关键词: 回顾

通过回顾和反思, 对学习的不满意之处进行纠错, 发现缺口, 并用更精练的语言概括自己掌握的知识。

第十六章　怀疑和探索让我们更聪明

在第五部分，我们将要一起探讨费曼学习法中从"学习知识"到"转化知识"的关键部分——如何将正确的知识从庞杂而具有欺骗性的信息中挑选出来。当你记住了一个概念或知识点时，怎样才能把它真正变成自己的东西，或者融入自己的知识体系？我们必须要做的第一件事，就是在复述完了之后回头检查、审视和总结。检查自己是否阐述正确，审视这些知识是否存在不易被发现的问题，并且总结前面几个环节的经验和教训。

我有两个特别要好的朋友，时常一起在周末聚一聚，讨论过去这一周的新闻，分享好的书籍。每次只要我有什么感悟，就会跟他们交流，表达我阅读、了解一条新闻、一门知识或一本书的观点。有时候，我在阐述的过程中也很尴尬。因为我明明对一些问题有着很强的表达欲，心中的理解也非常深刻，但需要用通俗的语言说出来时，就会表意不清，或者突然心存疑虑，对自己的观点不怎么自信。

　　还好朋友和我早已相熟，与我心有灵犀，建立了良好的讨论习惯。每次稍微提及某一个点，说到某一个词语，他们立刻便知道我想说什么。但这让我感到难过，有些知识我花了很长时间理解，总结了不少的观点和其他的想法，甚至做了笔记，却在当面讨论时有相当多的内容无法及时地表达出来，朋友也猜测不到真意。这说明我的学习还是存在问题的，必须回头重温知识。

　　一般而言，我对这样的局面有两种解决办法可以选择。第一，当时就重新梳理内容的逻辑，和朋友展开深入的探讨，思考知识背后的问题，一起消除困惑；第二，我按下不提，回去之后再专注地重新学习和理解，整理一遍思绪，完善自己的观点。第一种思路是当场解决；第二种思路是事后解决。

　　这两个方法的作用是一样的，就是**补缺和查漏**，对学习过程中的不满意之处进行纠错，开展二次学习，使我们对于知识点的理解更深，对于问题的看法更成熟。费曼认为，当我们学完一个知识后总以为自己懂了，可其实只摸到了皮毛。在皮毛之下，还藏有大量的东西是我们所不知道的。这是经常发生的事情。尽管你已进行了一次和二次复述，或对其他人在很多场合阐述了这些知识，也仍然会有你未曾理解的内容。这些你还不知道的内容用一个专业名词来形容就是"**盲维**"。

　　"盲维"是我们没看到的角落，也是我们未想到的地方。比如你走进一个陌生的房间，每次进去只能待 1 分钟。第一次进去时，你能描绘房间 30% 的特征，里面是落地窗，厨房很整洁，有两张床，一张餐桌。但你没注意到是否有空调和洗衣机，以及沙发、餐桌和床的材质。第二次进去时你注意到了电器和沙发，能说出它们的品牌、颜色等特征，但你没留意房间内有几个插座，卫生间的热水器和淋浴头是否好用，厨房的煤气管道是否安全可靠。直到第三次进去，你才掌握了这些信息。实际上，你的观察一定还存在着许多盲点，只不过你暂时没有注意到。只有在里面住上几天，你才能完全地了解这个房间。

学习便类似于探索一个陌生的房间。盲维越大，你对知识的了解就越浅，在输出知识时你的表达力就越欠缺，听者也难以从你这里第一时间理解你所讲的内容。消除盲维的过程，正是我们对知识采取怀疑和深度探索的环节——怀疑那些令自己感到困惑的知识，探索那些仍未搞清楚的知识，而且要主动地回顾和总结，反思和修正。很大程度上，如果没有一个主动的学习态度，许多极其关键的知识点是永远不会被我们所理解的。

不主动地怀疑和探索，不管读了多少书，背下了多少理论，你学到的永远是皮毛。

"只有在运用知识去做事时你才会发现，这个知识点为何我没有印象？这时你才意识到自己并没有真正地理解所学的知识。"

——费曼

重新对比数据和事实

如果在对外输出时遇到了**问题／麻烦**，解决方法是什么？你应该做的第一件事既不是否定知识，也不是为了维护自己的正确性而竭力辩解："不是我没理解，是你们没听懂！"这是你本能地想做的事情，但千万别这样，这只能让人们觉得你是在强词夺理，不懂装懂。你应该确保自己所阐述的知识是正确的，或者必须要能够自圆其说，具有清晰无误的逻辑。为此，要重新对比已经掌握的数据和事实。

第一，重新检查知识库。

在学习的过程中，我们对一个理论形成了知识库，即有关于这个理论的所有信息，包括立论、论据、论证逻辑、其他信息等。这个时候，你要把它们全部调动出来，列一个清单，进行重新检查。检查的目的是看看自己是否有遗漏，找出理解上的错误、记忆有误和事实不清的部分。

第二，重新验证知识的关联。

世界上所有的信息和知识点都不是孤立存在的，它们是互相紧密联系和具有逻辑性的。所以如果学习时你只记住了某些单一的知识点，在告诉别人时对方便很困惑，你也自觉逻辑上说不通。这时就要把知识点之间的关联性找出来，把不同的信息串联起来。比如，你记下了经济学的许多常识和定律，但没有理解它们在经济体中的各自的特点，复述这些知识时你就会感到空洞无物，因为脱离实际社会的经济学是毫无生命力的。你要重新学习它们在经济体中的细微或巨大的差别。就像计划经济和市场经济的区别，货币超发和金融开放对经济安全的影响等，阐述这些知识离不开具体的社会与经济体制。

假如我必须把一个高深的理论知识讲到连小学生都能听懂的地步，首先就必须逼迫自己去思考和探索这个理论或知识的本身究竟有没有问题，我自己是否真正的理解？如果我都不理解、不清楚它的本质，又怎么才能把它讲得通俗易懂，小学生又怎能听明白呢？因此，在回顾学习的成果时，对知识的数据和事实进行对比是十分重要的。要在**知识和现实**之间找到或建造一个坚固的桥梁，否则你只能充当一个**缺乏趣味的朗读者**的角色。

如果正确

经过对比查证，会出现两种结果。第一种结果是"知识正确"，我们再一次加强了对知识的理解。例如，有一次我向朋友分享一则关于科幻电影《星际穿越》中主人公驾驶飞船进入虫洞的情节和我的理解。我读了相关的书籍，也仔细观看了电影，然后告诉他们，虫洞属于四维体，它在三维空间的投射是一个球体，其中加上了时间这个维度。说到这里我突然脑袋卡壳，不知道该如何解释这个球体是怎么形成的，电影中的解释我已经忘了。

朋友也听不明白："看上去是个球体，这没错，可我不知道为什么。也许书上说的不一定对，毕竟谁也没真的观察到一个虫洞在宇宙中出现。"我想，自己需要再读一遍书了。翻回相关的章节，重读一遍内容，又看了一遍电影。我发现科学家的分析是对的，逻辑严密，有充足的科学依据，是我自己的理解和表述有误，遗漏了关键的信息。

在重温的过程中，我对正确的知识形成了深度的理解和产生了"长时记忆"。这是费曼学习法中一个富有积极效果的环节。

如果不正确

第二种结果是"知识不正确"——这经常发生，也是需要引起格外重视的情况。我们在回顾时发现自己在学习中疏忽了一些关键的事情，导致我们对知识的理解出现了偏差，或者**原知识**本身存在一些问题而起初没有发现。这时你就要谨慎地寻找原因。出现偏差的原因是什么？**原知识**中的哪些信息是存在问题的，为何第一遍学习时自己没有意识到这一点？

第一，是自身知识的欠缺导致了理解的偏差？

我们在日常的生活、工作和学习中积累了越来越多的知识，包括从书本、专家、分享平台、自身阅历和周围的环境中接触到的各种常识、思维习惯、技能，以及处理问题的公式。这些知识就像一张密不透风的大网，会影响人在未来学习中的认知能力。哈佛商学院的一项统计表明：有 68% 的人下大功夫去学习一门知识却仍然不得其门而入，原因是他的知识储备还不足以理解这个知识，而不是知识本身的问题。

举个很简单的例子，你学不会微积分，甚至看到微积分就头晕目眩，不是切线、函数、微分、积分等这些知识点讲得不够清楚，而是你不具备高等数学的基础，因此接触到相关的知识时缺乏足够的理解力。就好像我们因技能的欠缺而导致工作上的失误一样，即使你对此深思熟虑和计划周密，恐怕也很难有一个预期的好结果。除了下大力气实质性地提高相关的知识基础外，并无其他的解决办法。

第二，是原知识的观点和逻辑存在问题？

我们学习时会遇到这种情况，理解了一个理论然后去实践中贯彻，却发现与事实不符。不是学习的方法不对，是知识的观点和逻辑存在一些问题。这时，你就要反思自己筛选知识的环节，是否从错误的来源获取的知识，是否没有充分地对比验证？

比如：你所学的知识源于开放式的分享平台——百度、维基、知乎、简书等。由于开放式平台人人可发布和可自由编辑的特点，决定了上面的信息鱼龙混杂，有真有假。轻信了这上面的知识，再用这些错误的知识去处理和解决问题，当然很容易在现实中碰壁。

所以，我们一定要拥有对学习的修正策略，时刻查补自己在学习中出现的各种问题。如果是自己的理解错误，我该怎么办？如果是知识本身有问题，我又该怎么办？准备好相关的修正策略，才能及时地对错误的学习踩下刹车，回到正确的轨道。

用于修正的策略

除非我们准备降低学习的难度，调整自己的学习计划，从最基本的知识学起，否则你只能理性地评估自己的理解能力，仔细地检查和罗列出一张"学习清单"，先提高知识储备。比如，准备学习微积分的人需要补充高等数学的基础知识，准备学习投资理财的人需要先了解最基本的市场知识和投资规则等，并且注意筛选可靠的知识来源。等你具备了较高的知识理解能力和善于寻找正确的知识来源时，学习的正反馈才会增加。

保持一点不安分的好奇心 / 怀疑一切定论

好奇心有多重要？在学习中，"好奇心"可以帮助我们对未知的领域保持强烈的兴趣，同时也会对未知对错的知识产生怀疑："这个概念真的像作者说的这样吗，能否经得起分析验证？权威和专家的定论就一定是对的吗，难道没有相反的结论，在其他应用场景中是不是会水土不服？"如果你在学习时缺乏这样的好奇心，就容易囫囵吞枣，不分良莠地接受所学的一切知识。

在与知识有关的日常讨论中也是如此。假如你和同学、朋友都十分认同书中的一些观点，或者某种学术立场，你们能够毫不犹豫地在同一时间分享类似的感想，互相坚定立场。你也很确信自己的复述肯定能获得听者的认同。这意味着你对知识的理解和别人的看法完全吻合，是学习效果非常好的表现——通常人们是如此认为的。

然而，这是否过于巧合？有没有其他的可能性？

第一种可能：你们学到的知识没有出现任何争议性的问题，双方极其一致。这是我们最希望看到的结果。

第二种可能：事情没有这么简单，你和朋友的观点并不是源于第一手的知识，而是道听途说或未经证实的二手信息。"知识"在强传播下的误导性很大，大部分人都深信不疑。

第三种可能：你和朋友／听者都已对这些知识进行过充分的怀疑、对比和探讨，然后通过独立的思考与严谨的论证得出了相同的观点。这也是一个好结果，但大部分人其实很难做到。

人们在学习时的思维同时受到"经验"和"好奇心"的影响，学习的状态始终处于两者的中间地带，也就是经验和好奇心同时在发挥作用，但又不承担责任。想想看，我们平时思考问题时是不是这样？对陌生的新鲜事物既有强烈的好奇心和想象力，又深受经验的局限。这种情况下，当你在学习中得出一个判断或结论时，大脑并不清楚这是经验的结果，还是好奇心的创造。有时经验和好奇心也会打架——这种现象经常发生，经验告诉你这个知识有用，好奇心却让你保持怀疑。处于它们的中间地带时，你也许很难做出一个评判。

比如，我们读书时都有一种体会，书中的某一段内容或是让自己感到困惑，或是跟自己的经历不太匹配，需要重点思考和做出与经验不一样的理解。然而，大多数时间我们最终并没有做出这个决定，翻了几页之后，就放弃了重温那段内容或进行深入思考的想法。这是因为我们还没有形成在学习中战胜经验的惯性，养成敏锐地捕捉一切"争议点"的好习惯。

经验可以通过生活和工作中的实践获取，理论可以通过读书和在课堂上提高，但如果没有好奇心，你就不能积极主动地对比不同的观点，怀疑那些无法确定的观点，探索未知的领域。学习中我们应该让自己化作一只好奇心满分的猫，对所有的疑问保持一百分的探索精神，学会追根究底。

在学习中，经验保证你的下限，好奇心则决定着你的上限。

发现缺口

每当在读书中发现一些问题的"缺口"时，我就会感到莫名地兴奋。什么是缺口呢？首先，是较为独特的知识点，包括其他书籍没有的数据、未论述到的事实和与众不同的观点；其次，是能引发我深入思考的知识点，补充我知识盲区的论点等。比如，我在别的地方学到了一些知识，始终有迷惑不解之处，在这里却能得到答案。或是某个特定的信息触发了我的灵感，或是某段解释阐明了相关的原理。当然，其中也包括一些"错误"，知识中的"错误"也是非常宝贵的缺口，能够帮助我们发现怀疑的切入点和探索的立足点。

古代有些绘制地图的画家为了保护自己的作品著作权，会在地图上故意画错一个无关紧要的地方。假如别人绘制的地图上面也有这个错误，说明这一定是临摹抄袭。通过对比，人们就知道谁才是第一个画这幅图的人。

在知识的对比中寻找像金子一样宝贵的缺口，是最能帮助我们加深对问题的理解和探寻到真正知识的方法之一。"对比"是什么？举个例子，假如全世界只剩下了一个女人和一个男人，他们会怎么打扮自己，评判对方的形象？还能像现在这样非常容易地发现对方身上的缺点吗？不会，因为评价的标准已经变了。**他们互相缺乏对比的参照物。到时候，"美"的标准只有一条，对方是自己眼中最好的异性。**

学习也是如此，我们一旦能够就某一个点从不同的信息来源得到不同的反馈，再辅以自己的分析验证，很多"假知识"便不攻自破。回顾整个人类的知识进步史，数千年来各个时期的知识分子也是在这种连绵不断的**对比、怀疑、探索、反思和总结**中实现了文明的**迭代进化**。因此，学习时不要盲信知识，同类的知识也不要只去学一本书、一个人的观点和一种论证的逻辑，应该多方参照，反复验证，始终保持强烈的怀疑精神，才能探得真知。

回归知识的本质

费曼曾经说："我们为何学习呢？知识对我们究竟意味着什么？知识的本质又是什么？解决了这三个问题，我们也就找到了人生的答案。无论我们去学习何种知识，都能把它融入我们的生活场景中，化作属于自己的力量。"

不懂得知识到底是什么，知识意味着什么，那么学得再多也只是把它们挂在墙上或摆在好看的展台上当成**欣赏的玩物**。请好好想一想，你有没有把知识当作玩物、把学习视为制造玩物的经历呢？现实中不少人都是这样的。学音乐知识，是为了让别人佩服自己懂音乐，显得有艺术细胞；学收藏知识，是为了向客人炫耀家里的藏品多么有价值；学天文知识，是为了让朋友知道自己对宇宙的历史十分精通；学美术知识，是为了在异性面前展示自己的艺术才能；学投资知识，是为了让人们佩服自己的理财知识。

> "知识的本质是人生的进步和成长，是我们与环境的融合并产生新认知的过程。从根本上说，知识是我们对世界的理解，并以此获取的改造世界的能力。"
>
> ——费曼

但在现实中多数人并不具备这样的认知。当你对这个世界知之甚少，极度希望学习了解世界时，你会从哪儿获取知识呢？我们经常碰到的场景是，你会从媒体、父母、老师、书籍、企业或权威那里吸收知识。这些渠道本身没有问题，问题是你可能从未对他们提供的信息产生一丝一毫合理的质疑。

我生活中有不少朋友对待知识就是这种不加以分辨地全盘接受的态度，他们经常去参加一些培训和讲座，听各行各业的精英讲课。听课时他们无比认真，做笔记，订计划，下定决心提升自我，改变命运。他们一边学一边感叹："说得真好啊！不愧是专家！"但是几天后，也许就已经忘得一干二净，对学过的内容没什么印象了。

表面上看，这些朋友确实从学习中获取了知识。实际上，他们以一种虔诚的态度是否从学到的知识中总结出了适用于自己的经验？是否理解了所学的东西呢？事实告诉我们，大部分情况下并没有。

思考一下这几个问题：

为什么听完一场激动人心的演讲后的次日，你的行为模式依旧遵循着过去的习惯，生活和工作都没有任何改变？

为什么读完一本管理学方面的书籍后，你其实并不会按照上面的理论在企业 / 部门中实践？

为什么你近十年、二十年的每一天都在学习，却发现自己仍然不能明事理和断是非？

为什么肚子里积累了那么多的学问，考下了那么多的专业证书，遇到棘手的麻烦时还是觉得自己缺乏解决办法？

一旦你有上述困惑中的哪怕一条，即说明对于知识的理解和对学习的认知还是处于比较肤浅的阶段——入门级别。具体表现在，你学习的目的是功利地解决当下的问题，没有认识到学习方法、知识体系和思维模式的重要性，因而你的学习只是蜻蜓点水式地流于表面；知识在你眼中的地位和家中的宠物、手机、电脑等这些物品相差无几，拿来用一用而已，没有领会知识的本质，也没有深入地思考知识究竟能够为我们的人生带来什么。

在我看来，只有我们意识到知识可以为人生注入的进步和成长因子，可以使我们的学习与思维产生的巨大改变，才能真正地爱上学习，并在学习中养成深度思考和辩证分析的好习惯，否则你的学习永远都只能是一种"**表面的浏览**"和"**机械的记忆**"。

第十七章 寻找反证

我们在对学习的成果进行回顾和反思时，"寻找反证"是学习过程中的一个不可缺少的环节。即：我学到的概念是否科学？我学到的理论是否实用？我学到的观点是否正确？我学到的论证是否严谨？以上内容能否从其他地方找到相反的"证据"推翻它们？

寻找反证的过程就是有目的地反思。反思不同于回顾和总结。因为回顾和总结是对学习的结果进行温习与提炼，对学习的效果进行评估，反思则是对学习的质量进行解构，保证自己学到的是正确的知识。

第一，反思能够帮助我们发现知识本身存在的误区。

第一个作用很好理解，我所有的学生都能提到通过必要和及时的反思在学习中可以发现一些论证不严谨的知识和自己理解有误之处。读完一本书，学到一门知识或技能后，不要着急去实践和应用，先对所学的内容从头梳理一遍，进行对比验证，或者寻找相反的证据，看能否推翻这些知识。一旦发现与事实存在出入，就能以此为突破口，加深对正确知识的理解。

我们日常中很多的决定是依靠大脑的直觉做出来的，学习时也时常地依靠于习惯，即基于我们平时累积的经验或本能反应。但是，没有任何经验是完全可靠的。所以对知识进行反思，从不同的角度反复推敲，也是在反思我们平常积累的经验和过去的知识体系是否存在误区，然后在学习的过程中弥补这些缺口。

第二，反思能促进我们在已有知识的基础上产生新的知识。

例如，在培训课上你学习了提高工作效能的知识，专家图文并茂地教给你十种习惯和五种思维模式，和你向来遵循的习惯与思考的方式不同，这就产生了新的知识。怎样让这些新的知识经得起事实的验证，进而帮助到你的工作呢？就要一边每天努力地践行，一边琢磨这些方法在实践中是否有效。拥有了深度反思的能力，便能够每天把新的要求和自己的行为进行对比，逐步地改进和成长。如果不懂得深度反思，大概率学了就忘，即使讲给别人听时头头是道，你也很难把它们应用到自己的身上。对于后者，我们可称之为"口头上的进步"——

谈起一件事时出口成章，信息丰富，见识很高，一听就是很有水平的人。人们在和他的交谈中受益匪浅，对他很尊敬。但亲自动手做起来时，他往往表现得一塌糊涂，让人大跌眼镜。

所以真正的反思必须结合行动，要在学以致用的环节实现对知识的检查，督促我们去将经得起事实检验的知识运用起来，转化为我们的思维成果，内化为我们的实际能力。在反思时，可以通过联想，将生活中其他的经验、经历与知识相联结，发现它们的关系，重新认识和审视自己过去的表现，这就能够把自己已有的知识重新组织，产生新的知识。

正像费曼在加州大学的一次演讲中说的："人和人之间的知识差距不是来自学习的资历、年龄甚至也并非源于做实验的次数，而是取决于对知识的反思、总结和升华的能力。"在学习中若能持续地反思，将给我们带来强大的竞争力。它能在极短的时间内使我们更透彻地理解和更准确地掌握学习的对象。

重视否定式证据

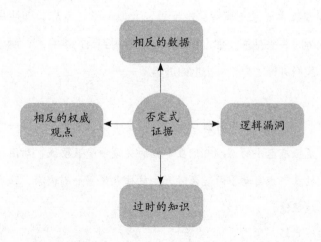

第一，相反的数据。

这里的数据不是由带有某种倾向性的个人有意识地统计出来的信息，而是公认或者科学的实验数据，比如数十年来被证明行之有效的计算公式、权威部门的调查数据或者科学家团队的研究报告。这一类的数据经常具有无可置疑的凌驾性。

第二，逻辑漏洞。

如果知识本身的逻辑存在问题，从其应用或输出中我们就能明显地发现这一点。像经济、管理或物理知识，一个严谨的逻辑常起到根本性的作用。比如，当从一些人口中听到"世界经济崩溃论"的理论时，我们很容易就能找出其中的逻辑漏洞，因为至少东亚或者说中国经济的整体局面是优良的。

第三，过时的知识。

"对的知识"也未必是"有用的知识"。我们平时接触到的很多信息其实都是过时的，描述的是过去一段时期内的现象、规律或数据，虽然很准确，但已经不适用于今天。比如 20 年前的企业管理方法、财务知识、金融规律等，放到那时是对的，能派上大用场，但放到现在却并不符合事实，也起不到效果。所以一定要跟上时代的发展，优先学习最新的知识。

第四，相反的权威观点。

我们从专家那里学到了一个理论，别因他的名声、地位就毫不犹豫地接受，要先看看有没有其他的专家、权威人士的观点与之相反，或对他的思路提出过质疑。这个世界没人是 100% 正确和不可否定的。如果有不同的声音，我们就要认真地研读和分析，看看这种质疑是否有力，逻辑是否站得住脚。假如能找到许多这种反证，我们在学习他的理论时便要格外谨慎。

重视知识的"否定式证据"，即要求我们为学习搜集一切的"必备要素"，不能仅有正面信息，还要有充分的负面信息。**如此才能避免学习时对知识的倾向性**。我们在学习时总是会被**特定的倾向性**所困扰，要做出客观的结论，就必须勇敢地打破这种倾向性，不能盲目地相信一种知识，不能迷信单一的知识来源。

最近几年来，我对"**学习的能力**"这个范畴进行了细致的研究和认真的思考，收集了数十万份世界各国不同阶层、高校和行业的资料，也深入了解了费曼先生的教学思想和在学习方面的观点。我发现人和人在学习中最大的差别从来不是优胜者拥有什么绝密而不可示人的成功秘诀和惊人的天赋，而是他们在学习时养成了一些与众不同的好习惯。他们既善于输出知识，也敢于质疑知识，反思自己的学习成果，不断地挖掘和精进，才完成了从量变到质变的飞跃，将平庸者远远地甩在了身后。

当知识卡壳：回到理解不清的地方，找出薄弱环节

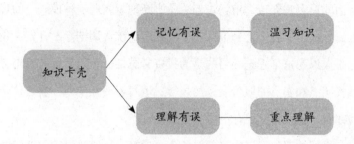

对外输出知识时，我们很容易发生卡壳的"事故"，就像汽车在行驶途中突然出了故障。有时候这很尴尬，因为自己都没搞清楚，我们又怎么让别人听明白呢？这时，停下来，先梳理一遍卡壳的环节——到底是什么原因导致了自己的停顿和困惑？如果是记忆有误，有些关键内容突然记不起来了，便集中注意力重新温习一遍相关的内容，加强对这段知识的记忆；如果是理解有误，则要回到这段理解不清的地方，找出失误之处，重点理解，弥补薄弱的环节。

比如，英语单词 lover 在多数语境中均指向"情人"而非"爱人"，busboy 其实指的是"餐厅服务人员"而不是"汽车售票员"。初学英语的人十分容易犯下理解的错误，遇到含有这些单词的句式，翻译出来就完全变了味道。这是我们的学习中很常见的例子。

另一种情况是，一些理论或概念较为晦涩难懂，理解起来有困难，我们也极易卡壳。比如，我第一次接触到美国证券分析家拉尔夫·纳尔逊·艾略特（R.N.Elliott）的波浪理论时，艾略特以波浪的形态解释他"市场走势总是不断地重复同一种模式"的观点，并提出了五个上升浪和三个下跌浪的统计周期。一开始，我总是误以为这个理论的目的是为投资者总结一个可依据波浪走势选择买点和卖点的股价变动的规律，但每当要在实践中验证这个规律时，我就会发现有很多行不通的地方。

根据数据显示，大量的股票并未遵循一种有迹可循的波浪模式，甚至在很长的周期内（诸如十年和二十年）也看不到有任何波浪的形态。于是我又回到艾略特的书中重新理解这句话，结合他的其他论述与市场的实际情况进行对比。最终我意识到，艾略特使用波浪形态意图向人们表明的是，市场无论走出什么形态，都可以用一种基本的量化模型去做分析，即市场分析理论。学习他的理论，重要的不是**找到一把钥匙**，而是学会自己根据实际情况**制作钥匙的本领**。

这是在学习任何知识时我们都要坚持的原则：将知识与现实相结合，使它能为己所用，解决当下的问题。

争议是深度学习的切入点

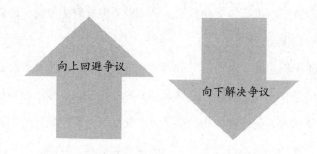

如图所示，不管学习还是日常生活，遇到争议性的问题，人们一般有两种处理方式：

第一，向上回避争议。

忽略或者绕过争议，只去理解自己第一时间能处理的问题。这是一种大部分人采取的"浅学习"模式（也许您正在采取这种模式阅读本书）。我们平时的阅读中碰到有歧义的知识点，大脑本能地会选择跳过去，它只喜欢接收那些直白易懂的信息。我们形容一个人看书很快时会用"一目十行"这个成语，这便是大脑采取了浅学习的模式在输入知识，对所学内容只能记个大概，也无法形成长时记忆。

第二，向下解决争议。

沉下来化解争议，从有争议的知识点中获得宝贵的智慧。这是费曼在他的教学生涯中向人们推荐的"深度学习"模式。比如向别人阐述一个概念时，对方不认同你的理解或该概念的观点，此时争议就出现了。最好的办法是与之以简洁而直接的方式探讨，双方畅所欲言，交换看法。这样做不但能解决争议，还能加深你对知识的理解。

善于学习的"老司机"最喜欢有争议。争议意味着智慧，也代表突破口。我们想深入地理解和掌握一门知识，除了记住核心的知识要素、逻辑和架构，还要重点关注那些存在争议与问题的内容。这些内容不仅代表着知识的难点和痛点，同时还起到了衔接其他知识、开启脑洞、激发我们持续性地系统化思考的作用。

费曼接受采访时举过一则例子，他曾经从《自然》杂志看到一篇论文，作者是天文学家卡尔·爱德华·萨根（Carl Eduard Sagan），萨根提到的地外无线电信号的证据引发了他浓厚的兴趣。所有人都知道萨根是搜寻地外生命的狂热支持者，对宇宙中存在众多文明坚信不疑。费曼读到了这一观点，但他认为相关的内容不足以写成一篇专业的论文。

"证据太苍白了，就好像一只苍蝇飞过婴儿的耳边，婴儿却以为那是一个高级玩具。假如外星文明是我们要找寻的'玩具'，怎能凭借一点点可疑的声音就确信他们一定存在呢？想说服公众，他还需要更多的证据。"

为此，身为物理学家的费曼从康奈尔大学的同事那里获得了一些相关的资料，详细了解与地外文明有关的所有证据，并给美国天文协会和《自然》杂志写信表达自己的观点。他认为萨根在严肃的科学论文中加入了具有欺骗性的"滑稽的知识",会诱导公众和其他科学家做出错误的判断。最终,费曼赢得了《自然》杂志的道歉,杂志向他承认这是一篇"未经严谨评估就予以发表"的文章。

解释这件事时,费曼说:"最好的学习是我们能从一个问题里找到新的问题,你不喜欢、不赞赏、不认可的东西,那才是知识这顶皇冠上的宝石。如果你憎恶争议,或者没有挑刺的习惯,就如同你扔掉了这颗宝石,只戴一顶漂亮但毫无价值的帽子。"

没有"最可靠"的结论

这是一个正确的逻辑闭环,告诉我们别相信任何一种学术结论,哪怕是最权威的声音,也不能奉为至宝或捧上神坛。在上面的循环结构中,知识是动态变化的,一方面我们不断地解构它,理解它,另一方面也通过论证、怀疑和反思更新它的内容,使知识保持常新,尽可能地真实而客观。

有个学生问我:"您觉得任何一种结论都不是最可靠的,包括我现在学的教材吗？"他拿出一本《高等数学》和《材料物理化学》，"这些也要怀疑地学？"他一脸不可思议。我说："对，你当然应该记住上面的重点内容，理解它们，运用它们，但你要知道，所有的知识都有它的局限性。我们说一种知识是权威的，是说在当下的条件和环境中它是能解释和解决一些问题的，但未来呢？在其他未经论证的条件和环境中呢？我们谁都不知道。如果你学习时能拥有一种科学的怀疑精神，那么你不但能很好地掌握这些知识，还有机会去创造新的知识，成为一名优秀的具有突破思维的学习者。"

和已有的知识建立多角度的类比关系

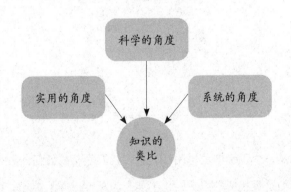

第一，科学的角度。

科学的角度有两个含义，一是逻辑严谨，数据正确，观点合理；二是与其他信息和知识的对比中经得起最为苛刻的质疑，在放大镜下经得起百般的审视与筛查。很多人平时相信的一些所谓的生活和健康常识，比如维生素 C 预防感冒、素食者比肉食者健康等，就是不科学的知识。

第二，实用的角度。

知识的实用性就是能够落地，从书本上的枯燥的理论与文字转化为现实的具体的结果。我们不管去学什么知识，其最终的目的都是为了获得某种实用的价值，让知识对自己的生活、工作、情感乃至整个人生都有所帮助。哪怕是用来修身养性，这也是实用性的一种体现，就怕大费周章学完之后什么收获都没有，学习这种知识只会浪费我们的光阴。

第三，系统的角度。

从系统化的角度把新知识与我们既有的知识体系进行对比，建立内在的联系。费曼学习法中有一项必须遵守的原则就是，要用一种系统化思维对待学习，对待陌生的知识。当我们新理解了一个概念时，不要把它作为孤立的个体存入大脑，要将它看作自身知识系统的一部分，和旧的知识做对比，存优去劣，也要存新去旧，才能升级自己的知识水平。

在对所学的知识寻找反证的过程中，与自己已有的知识建立**多角度的类比关系**有助于我们发现自身的不足，还有新知识的问题，同时也能将新知识融入自身的知识体系中，把它们衔接成一体。这也是一个保留科学、实用和系统化知识的过程。

第十八章 "内容留存率"决定了我们
学习的效能

我们知道，生活中很多的事情均可以外包，但唯有"学习"是不能外包的。学习纯粹是你自己的任务，没人能替你操刀。学习也是我们立足于这个世界的最重要的一项**底层能力**。只要有强大的学习能力，一个身无分文的人也有机会成为世界首富。但如果你的学习效能很低，就是给你亿万的财富，也只能坐吃山空。

想提高学习的效能，就要提升自己学习的"内容留存率"。只有当学习的"内容留存率"达到 90% 以上，才能算是真正的高质量的学习。费曼认为，在回顾和反思的环节中，一件非常重要的事就是把我们学习的"内容留存率"提升上去。

什么是"内容留存率"？首先，是我们记住知识的比例，也就是能把多少所学的知识转化为长时记忆；其次，是能真正理解到的知识的比例，即能实质地掌握多少内容；最后，是这个比例不低于 90% 才可称得上高效能的学习。

比如读一本书，我们的大脑最喜欢的阅读方式是什么？一定是先找个舒服的地方，比如靠在软软的沙发上，吹着空调，喝着咖啡，听着音乐，然后由着性子挑感兴趣的内容。至于能记住多少，大脑并不关心这个问题，它重点关注的是**阅读体验**。大脑在学习这方面始终是一个追求安逸的偷懒分子。

我记得几年前自己想了解科普方面的知识时，买了很多书，抽出时间专门阅读，就是以这种缺乏自律的形式完成了整个学习的过程。有时碰到了很有吸引力的内容，大脑便能清晰地记下它们；但如果全篇的内容都很枯燥，读完没多久我就失去印象了。到需要我讲述给别人听时，我发现自己想不起来多少东西，学过的内容能记住的很少。

我们有超过 90% 的学习都是这种既耗费时光又成果乏善可陈的行为。与此同时，今天的时代又飞速进化，旧的知识正不断地被新的技术覆盖和吞噬，经济和就业环境恶化，人们迫切需要从新知识中获取新的竞争力，便一定产生愈发强烈的"**学习焦虑**"。越焦虑，学习就越容易四处撒网，分散精力，每一类知识都浅尝辄止，学不精，也记不多，效能越来越差。

学习焦虑与知识的悖论——焦虑让人紧张，却不能解决问题。当你对学习的焦虑感上升时，你吸收知识的效率就会下降。即，你越想学好，结果就越学不好。

学习最重要的是保证效能——无论对学习付出了多么海量的时间，投入了多么巨大的资源，这都不是最重要的。最重要的是学习的效能。即，投入的时间和资源的产出比。要看你记住了多少知识，理解了多少内容，并且把它们在实际的生活和工作中融会贯通。

遗憾的是，根据我与国内一线城市的十几家教育机构联合做的调查研究发现，人们美好的愿望总是与现实有着遥远的距离，这个规律应验于生活和工作中的方方面面。我们想得很好，规划得也不错，真做起来却发现不是那么回事。学习也是如此。尽管随着互联网和知识在线分享平台的普及，学习的机会和方式日益丰富，却并没有从根本上改变我们获取知识的效能。学习仍然很不容易，想获得真正的知识也依然艰难。

费曼曾十分幽默地评价这种现象："好比一条从鱼缸放出来的鱼却在大海里无穷无尽的食物之中饿死。可见简单的事情真做起来也不易，就像我们要把一个最普通的物理知识介绍给小学生一样，我们都知道苹果从树上掉下来是因为地心引力，可为什么无法让他理解这个原理呢？"

不是学得越多效能就越高

在**学习和学习的行为**之间，我们之所以存在**沟壑**，主要原因便是不知如何去增大"内容留存率"。有个学生向我诉苦说，有时觉得时间紧迫，任务繁重，太多的书要看，题要做，心态就急躁，行为就变得盲目，于是便忘了预先制订的学习计划。他花几天的时间钻研几万字的资料，废寝忘食，可能只理解了三五千字的内容。这项工作重复下去，实在没什么价值，心灰意冷之下他就放弃了对这门知识的学习。这让他的成绩很差，对未来感到悲观。

这种现象反映了五个方面的问题：

第一是在选择知识上的心态浮躁。

人们在学习时一方面希望获得有深度、有营养的干货，另一方面又总希望这些知识通俗易懂，一看就会，到手即用。所以选择知识时心态浮躁，总想一口吃成胖子，快速成功，静不下心来专注地理解自己的学习对象。

第二是在学习过程中的行为盲目。

学习的过程中人云亦云，临时起意，看到别人的推荐或大家都在学的东西，立刻放弃自己正在进行的计划，也跑去学那些内容。这种盲目还体现在，自己并没有一个明确、坚定的学习目标，也不知道自己究竟需要哪些方面的知识。

第三是不善于学习管理。

制订了学习计划却不能严格地执行，比如下定决心读一本书，安排了周末的时间，到时候又被朋友叫出去打球了；热衷于报名参加学习课程，又不能准时听课，上完课也做不到及时温习，导致学习管理一塌糊涂，虽然对学习付出了极多，实际上却学不到多少有用的知识。

第四是没有自己的知识体系。

缺乏知识体系在学习中最直观的表现是不知道为什么要学习这些知识，也不清楚学了这些东西对自己有何作用，更不懂如何从中吸收对自己有益的内容，用于解决实际问题。这就使学习变成了一种劳而无功之举。虽然你总在学习那些热门或时髦的知识，却很难消化它们。

第五是不看重学习方法。

尤其不重视获取正确高效的学习方法。很多人对学习充满热情，恨不得一夜间便成为某个领域的专家，但却用蛮力去学，比如死记硬背，不知道应该如何确定自己的学习方向，怎样高效地留存学到的高质量的内容。所以这种热情到最后总会被现实当头浇一盆冷水，学不出效果。

费曼说："知识不仅是文明的记忆，也不仅是未来的旗帜，它还是一种思维结构。当你从思维结构的角度看待知识时，就要意识到，学习的过程其实就是对我们自己思维的变革，它有聪明的方式，也有愚蠢的方式。"

我们即使从书本或知识平台中了解、阅读到了全部的内容，哪怕倒背如流，那也只是完成了学习的不足 5% 的份额，也仅是达到了费曼要求的入门级别，更艰巨和更漫长的任务还在后面。

因为学习最重要的是最大限度地记住"有用的知识"，这些知识要深刻于脑海，对之如臂使指，成为一技之长。所以，别一味地追求学习的数量，要着眼于学习的质量，提高学习的效能。

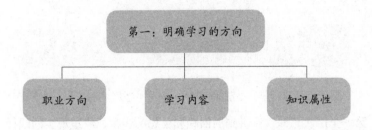

第一步要针对自己的职业／工作方向、学习的内容和知识的属性，把要学习的知识规划清晰，包括概念性知识、事实性知识、过程性知识、原理性知识等。即，解决学习什么的问题。在这一步中，记得及时地把不适合、不感兴趣的内容挑出来，因为它们会影响理解和记忆的效能。

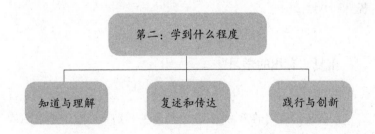

在第二步的三个层次中，第一个层次是**知道与理解**，表现为能够正确地理解知识的含义；第二个层次是**复述和传达**，表现为能够正确地复述一遍并且讲给别人听；第三个层次是**践行和创新**，表现为能够将知识转化为行动，然后创造新的知识。这三个

层次缺一不可。

第三步是费曼学习法的核心，大致可以分为以下三个层次。第一个层次，即本章讲到的回顾和反思的步骤，经过现实的践行与创新，通过必要的回顾与反思，对知识进行再学习；第二个层次，将知识条理化，以自己喜欢和熟悉的方式简化，利于记忆和运用；第三个层次，将学到的知识整合到自己的知识系统中，或者产生新的知识系统。费曼和美国国家训练实验室的研究表明，这几个步骤成功地运用下来，可以帮助我们将学习的内容留存率提升到 90% 以上。

重复"有用的学习"

什么是"有用的学习"？这个问题关系到我们对于学习的认知。首先举个常见的例子，我们从一些付费平台上学习所得到的东西，算不算是有用的知识呢？这已经是在线学习的一部分，是今天正在流行的风潮。我无意打击读者为知识付费的积极性，但我的建议是，既然为此付出了金钱，就要做好对知识的甄别。

如何甄别出那些有用的知识？一个简单易行的办法就是将知识划分成三种，根据类型的不同采取对应的学习策略。

第一，对具有生长能力的知识重点学习。

这种知识是能帮助我们干大事的，对我们的生活和事业甚至具有无可替代的决定性，比如与工作相关的专业知识、新的理论、关乎知识源头的问题、概念、定理和应用等，它具有完整和体系化的特点，有完善的逻辑体系，可以指导我们的实践。像投资、科研、芯片研发、工程设计等宏大的领域。这些知识具有持久和强大的生长能力，一旦选定就要重复和深入地学习，尽可能地提高内容留存率。

第二，对模块化的知识针对性学习。

其次是模块化知识，也就是那些尽管不成体系、不可生长，但却具有普遍的应用价值的知识，能用来做很多事情。比如电器线路维修、电脑硬件安装、计算公式等。这些知识是工具性的，也是模块化的，能解决所有的同类型问题，我们只需要在用到时针对性学习即可，并不需要重复去学。

第三，对碎片化的知识坚决不去学习。

新东方创始人俞敏洪坚决反对人们平时在短视频和朋友圈里面浪费过多的时间，他的理由就是这些内容提供给人们的全部都是碎片化的信息，虽然偶有可学的知识，但它们的主要特点是破碎的，是临时收集或道听途说，真假难辨，学之无益。我们平时阅读杂志或搜集资料时也要注意这个问题，少学或坚决不碰这些碎片化的知识，以免虚费光阴。

我们每天用于学习的时间是十分有限的，精力也有天花板。所以，很有必要对要学习的对象及其价值预先评估和识别，甄别那些有用的知识，为它们设立优先、重要等级，将大部分的精力用于学习最高等级的知识。你要知道，我们学习的目的不是单纯为了记住知识，而是使用知识。

留意知识的背后有什么

在回顾与反思的过程中，我提醒读者格外需要注意的是，一定要搞清楚一门知识、一个概念背后的逻辑、根源、因果或者其他的背景信息，因为没有任何知识是可以脱离开这些东西孤立存在的。

简单地说，我们在学习中要有"原理性思维"。在对知识复盘时，思考一下它的原理，搞懂它背后的结构和支柱，这对提高内容留存率具有极大的甚至决定性的作用。只要能掌握知识的原理，就能大幅度地降低我们对于"记忆量"的依赖，不需要记忆太多的内容就能理解一个知识点。因为原理往往是可控的，而且可以举一反三。

比如，软件工程师大都学过 RPC 通信框架。对于这项知识，假如你仅知道它的基本应用，你会发现它对你的很多业务都没有太大的帮助，因为每次面临新的任务你都要重新在它的应用上寻找策略。但是，如果你深入研究它的原理，看看它如何扩展，怎样寻址，就能与不同类型的业务系统建立一个完美衔接的通道。

再举一个通俗易懂的例子：语言知识。我们学习一门语言，仅仅背下它所有的词语和使用技巧，并不意味着就学会了这门语言，还要彻底地了解语言的背景、组词结构、衍生意义和文化价值等，才能在不同的环境中应用自如。像我们中国的汉语，你必须知道这么美丽的象形文字是怎么被发明出来的，汉字的组成有什么独特之处和其他的象征意义。这对我们吃透汉语这门知识有着莫大的帮助。

第一，知识的原理比知识本身对我们更有价值。

第二，探究知识背后的东西也是非常重要的思维训练的过程。

第三，能够简化知识体系，可以使学习既简单又直接，节省宝贵的时间。

第四，掌握知识的原理可以帮助我们对所学的领域建立一个基本概念。

第五，上述四点十分有助于我们在学习之后的应用实践。

第十九章　费曼技巧：回顾原则

在费曼学习法中，回顾原则起着承前启后的作用，是我们实现真正掌握一门知识的倒数第二步，当然也是极为关键的一步。费曼要求我们将学习中遇到的问题——证据不足、解释不清、逻辑不明、自己一知半解的内容摘录下来，逐步把这些内容与资料对比，梳理清楚。这样一来，我们一定能得到最为精华的知识。

经过必要的回顾和反思，我们厘清了知识中争议的部分，获得了对学习对象较为全面和真实的阐释，但是这还远远不够，你要再想一想：我此时的理解和阐释还能再简单直白些吗？对于从未接触过它的"小白"来说可以轻松理解吗？

第一步：怀疑和探索

确保数据和事实是准确、精确和经过科学统计的。

对未知保持强烈的好奇心，怀疑一切定论，哪怕它是权威定论。

探索知识的本质和背后的问题，而不是仅记住知识的内容。

第二步：寻找反证

否定式的证据具有无比重要的作用，对此不能刻意忽略。

对薄弱环节要多方搜集信息，从多个角度加强理解，并提出自己的看法。

重视争议性的观点，从让人困惑的争议中获取比黄金还珍贵的知识点。

第三步：加大"内容留存率"

追求学习的效能，而不是知识的数量。

将主要精力放到有用的学习上，也就是重复理解那些"有用的知识"。

加大内容留存率，我们需要拥有"原理性思维"。

需要强调的是，费曼本人并没有把他的学习方法理论化。这些原则是由无数的追随者和思维学家整理而成，他的很多学生从中受益匪浅，许多人成为各行各业中的佼佼者，对费曼技巧的研究便逐渐流行起来。

　　作为一位优秀的物理学教授同时也是天才的学习者，费曼的经验主要源于他在教学实践中的经验之谈，以及他本人的学习心得的总结。比如回顾原则，费曼在很多场合都倡导人们重视对学习的反思，要从有意义的反思中得出新的东西，深入抓住知识的内核，然后有目的地简化之，才能彻底地理解其中的精华。事实往往就是如此，我们必须在实践中检验优秀的学习方法，并在理论上不断完善它，才能保证我们日常学习的质量。

简化和吸收

 关键词：简化

　　学习的最终目的，是抽取我们需要的东西，形成自己的知识体系。

第二十章　好东西太多，也会消化不良

正式开始本章的讨论之前，我希望读者先回答下面几个问题：

1. 你每年阅读几本书（或者从来不读）？

A. 5 本以上

B. 3 到 5 本

C. 从来不读

2. 你是否深知自己的"知识弱项"？

A. 非常清楚

B. 遇到问题才知道

C. 从不知道，也不关心

3. 你从什么地方学习知识？

A. 有目的地从不同的渠道

B．一直从固定的渠道，比如老师、教科书或前辈那里

C．无论什么渠道，都被动地接受知识

4．你发现知识有误时是否在学习上做出过调整？

A．及时调整

B．看情况

C．从不调整

5．你在学习中遇到问题时常被惯性思维左右吗？

A．从不

B．很少

C．经常

6．你如何证明自己对某一个知识点独立思考了？

A．我会充分地对比和论证

B．我会坚持自己的固有立场

C．我缺乏判断力

7．你每天坚持写学习心得吗？

A．几乎每天

B．偶尔

C．从来不写

8．你对有疑义和分歧的知识会写下自己的深度分析吗？

A．会

B．有需要时会

C．从来不会

这八个问题是美国管理协会设计的一次测试，测试的目的是评估一个人的学习方式是否有效和是否具有出众的收集资料的能力。在学习中，最怕的就是一个人漫无目的、没有重点地乱学，同时还自以为是，觉得自己学到了很多东西。从这八个问题中，我们能看到一个人是否找到了好的学习方法，是否可以高效地收集资料，对比不同的观点，消化关键的知识，然后产生自己的见解。

测试做起来很简单，你只需要根据实际情况打勾就行了。然而，八个答案全部是 A 的人，美国管理协会的专家发现不超过0.1%。他们从全美 30 所大学、中学和近百家企业中征集了上万人参加测试，得出的这个数据非常严谨。你完全没看错，人们平时想象中的学习能力与实际情况并不相符，也许你觉得自己很善于学东西，其实距离优秀还差得很远。因为这八个问题牵涉到一个人在学习时最重要的三种能力。

第一：主动学习的能力。

第二：怀疑反省的能力。

第三：原创思考的能力。

事实上，我们大部分人只能归于 B 和 C 这两种学习类型。这些年来，即便我的阅读范围相对普通读者比较广博和专深，却也无法避免出现思考和判断上的错误，其中很多还是低级的错误。

因此，我对增加读书量的学习效果充满了怀疑，扩大读书量真的能提高我们的知识水平吗？实际上，好东西太多，是会消化不良的。

正因如此，我们在学习中的最后一个重要的步骤是简化所学的知识。什么是简化？打个比方，就像洗菜做饭一样，材料买回家，要清水洗净，剔除不需要的部分，留下的干净有营养的部分，再分别摆放到盛器里，一目了然。费曼说："首先是对知识的分解，把你需要的、核心的东西找出来；其次是条理化，逻辑化，把这些剩下的知识整理好，成为一个整体。做好这两项工作，我们才能吸收这些知识。如果你不能把一个科学概念梳理得逻辑简单，通俗易懂，三两句话就能讲明白，那就说明你对这个概念是一知半解的，并没有学好。"

很多人会倾向于使用一些复杂的词语或者专业术语等来掩盖自己不明白的东西。这是一个事实，例如经常有人在解释某个知识时中英文混合，或讲些晦涩的理论。看上去很高大上，其实他只是在糊弄自己，因为他不知道而且也不明白。

简化和吸收是费曼学习法的最后一个步骤，目的是将学到的知识制作成一个精小的"知识包"，融入进自身的知识体系。当你自始至终都可以用小学生能够理解的语言重新总结知识，你就成功地使自己在更深的层次上理解了该知识，在不同的知识点之间确立了牢固的联系，也发现了它们的本质。一般而言，经过了这一步，我们一定会清楚地知道自己在哪里还有不足，该怎样进行下一步。

如何简化知识的要点?

第一,打开知识的"重要性开关"。

即,哪些知识很重要,哪些知识一般重要,哪些知识不重要。为它们列一个优先级,排好顺序,全力吸收那些重要的知识。

平时,当我们在向别人讲完一个东西的时候就会发现一个现象,之前心里没有印象、没有逻辑的知识此时突然清晰起来,你能感觉到有些东西是重要的,有些东西则不重要。但在讲述之前,你可能对此并不清楚。

就是说,通过三次复述,我们可以打开知识的"重要性开关",既能训练自己的语言组织能力,还能检查这些知识点,形成一个清晰的逻辑,看看哪些部分才是自己最需要的,然后把它们留下来。

第二,将知识从复杂回归简单。

费曼认为,所有复杂的知识体系都有一个简单的核心逻辑,就像一团乱麻会有一根总的线头,找到这个线头往外一拽,这团乱麻便轻松地被化解了。要把学到的知识简化,我们就要提升自己的思考维度,站在高处往下看,找到里面的那个核心。

比如股票知识,如果你要深入理解一只上市公司的股票,应该从哪些方面入手才能迅速抓住本质呢？在整个学习的过程中你一定会接收到大量的知识点，包括但不限于估值、价格、资金最近的动向、未来的趋势、K线形态，还有 PE、净资产收益率等关键的信息。这些不同的知识点组合到一起，形成了一个判断股票价值的集合体，也是一个复杂的数据系统。假如你要都搞清楚，将是十分艰巨的工作，也易使你偏离问题的正轨。就像很多人明明买到了估值很低、数据很漂亮的股票，却一天天地跌下去一样。他们对此莫名其妙，其实是他们在学习股票知识的过程中对于吸收和分析出了问题。

首先，你必须完全明白的是，无论一项知识包含多少概念和分支，它都有一个当仁不让、至关重要的核心。这个核心才是你理解和吸收该知识的钥匙，找到它，就能将复杂的知识简化成一个易于理解的版本——简单到随便一个人都可以看明白。

其次，简化知识就是完善我们的思维模型，从知识中总结和提炼要点，本身便是对思维能力的锻炼。一边学习有用的知识，一边提升我们的思维能力，这个步骤可以起到一箭双雕的作用。我建议读者在总结知识的要点时，准备一张清单，不仅用到大脑，还要用到笔和手，把提炼出来的要点写在纸上，随时修改，对学习的效果更有帮助。

简化所学知识的过程其实就是要求我们不断地用简洁的语言去解释一样东西，一直到我们的大脑像呼吸和喝水一样轻松地理解它。经过简化的知识能在大脑中把要点更有效地转化为长时记忆，然后影响大脑的思维和决策，使知识发挥它的力量。这些要点也起着索引的功能，当需要重点使用该知识时，我们就能在大脑中按图索骥，快速将内容调取出来。

如何吸收我们需要的部分？

不得不说，人在社会上的竞争优势并非全部源于学习，它还与自身拥有的资源和天赋有着莫大的关系。这是我们不得不承认的事实。但是，随着时代的进步、学习方式的进化和人与人竞争模式的改变，"知识吸收能力"对人的竞争性越来越重要。最近十年中，世界上优秀的学府都开始研究和重视提高学生以知识为基础的"知识吸收能力"（the absorptive capacity），这是当下一段时间的教育和组织研究中最重要的概念之一，属于知识转移的范畴。

这种能力具体指的是什么呢？用一句话概括，就是**获取、简化、吸纳、转化和创新知识的能力**。从几个关键词看，这种能力也恰恰深嵌在费曼学习法的几大步骤中，帮助我们锁定知识、理解知识、消化知识和创造知识。

第一，获取知识。

这是一项基础能力，我们要从外部有效地获取知识，确立学习的方向，制订学习的计划，并且充分地了解和判断哪些知识对自己具有关键的作用。

第二，简化知识。

即以必要的筛选、整理等手段提炼出知识的骨架和要点，浓缩出知识的精华，提高内容留存率，为吸收知识做好准备。

第三，吸纳知识。

知识的吸纳能力强调的是，我们要将那些核心的知识长久地保存在大脑中，成为一种长时记忆，并且做到真正地理解它，又游刃有余地向别人阐释出来，实施以教代学的学习策略。不能被吸纳和阐述的知识是很难被我们的大脑真正接受的，往往只是一种短时记忆。

第四，转化知识。

知识的转化能力指的是，我们要把学到的外部知识与已有的知识有效地结合，使新知识转化为自己知识体系的一部分，变成可随时使用的能力。

第五，创新知识。

知识的创新即开发新知识的能力，通过有效的学习，在已有知识的基础上创造新的知识，甚至超越原有的知识。最终，我们从知识的被动学习者和接收者，变成知识的主动创造者和提供者。

具有了这种能力，当你吸收知识中自己需要的部分时，会发现要做的事情很简单，只要和自己的生活、工作目标结合起来，再用好上面五个关键词，就可以高效地将自身需要的知识吸收进自己的知识体系。

比如，我们学完了财务课程，这个课程可能包含不同的部分，有纯粹的会计知识，有上市公司的审计知识，有侧重财务管理的知识。这时你要看看对自己最有价值的知识是哪一些。如果你在审计部门工作或未来担任上市公司的财务审计职位，审计知识就是你重点吸收的内容；如果你的就业目标是财务总监，那么就要学好财务管理的知识。在吸收这些知识时，你还要做好两大类的工作，第一是提高自己对潜在知识的吸收能力，包括知识的获取和吸纳；第二是提高自己对实际知识的吸收能力，也就是知识的转化和开发利用，在学到的基础上还要努力地创造，成为知识和技能的提供者，上升到让别人学习你的境界。

在线学习中如何简化知识？

狭义上的在线学习是通过电脑或者手机与互联网连接，创造一个虚拟的网络教室，参与老师的网上授课，进行在线的学习和讨论。这依然是一个集体学习的概念。但目前及未来的在线学习显然已经不局限于此，它具有十分灵活的方式，在各种环境中和条件下都可以开展，只要你能够连接网络。

虽然在线学习有它的缺点，比如无法当面讨论，缺乏教室内集体学习的氛围，也容易因没有约束而懈怠。但它的好处是，学习不受地点、空间和时间的限制，并且能和现实中一样与老师互动。另外，广义上的在线学习也包含我们以个人目的为基础的自主学习，比如为了掌握某种知识、了解某个领域而自发地从互联网上寻找相关的资讯。这个过程没有老师的参与，完全由你一个人主导整个进程。目前，这样的在线学习已越来越流行。

当脱离面对面的接触进行学习时，我们就会更清晰地感受到费曼学习法的巨大应用空间。费曼倡导的以教代学的思想也在其中有十分清晰的体现。比如，我们可以将所学的知识在线输出，通过分享给别人来验证自己的理解是否正确，随时修正观点等，都能加快学习的进度，提升学习的质量。

"在线学习"中简化知识的原则：

第一，以实际效果为前提。

就是说，在简化知识时要先检查自己的学习成果，我学了哪些，记住了哪些，对我而言比较重要的内容又是哪些？在线学习缺乏老师和同学的当面沟通，没有直接交流，在输出方面存在一定的障碍。此时，我们要加强对学习成果的检查。

第二，以实践应用为目的。

必须结合现实的实践应用来简化知识，提炼其中的要点和关键部分。我们从互联网搜集知识时，务必要以应用为目标。即："在线学习"具有色彩鲜明的应用性。

第三，重视可以促进联想的内容。

由于互联网本身的开放性和海量的信息，搜索资料比较方便快捷，因此在简化所学的知识时，一定要重视那些富有联想性的内容，通过这类的内容继续展开二次、三次学习，向问题的纵深拓展。这能加强我们学习的效果，促进原创性观点的产生。

第四，避免在不同平台学习重复的内容。

没有计划的在线学习很容易东打一枪，西打一炮，盲目地寻找资料，搜索知识，就可能出现就某一项知识重复学习的情况。比如在不同的网页、平台或网络课程中学到了相同的理论或观点，浪费时间。遇到这种问题时，要及时地删除和简化所学的内容，保留有效的学习，去除无效和重复的内容。

第五，和我们当下的工作相结合。

无论任何形式的学习，我们都要将学习与工作密切地结合起来。在线学习最重要的意义就是衔接学习与工作，不仅将工作搬到了互联网上，也把工作中的学习以在线的形式完成。有个词叫"学以致用"，就是说我们的学习要能将知识和技能贡献出来，帮助到当下的工作，帮助到其他人，一起提高知识水平。

第六，重视知识的成长性。

我们从在线学习中也要建立完整的知识体系，以成长性的态度对待所学的知识。这不是完成一件迫于无奈的任务，或者是贪图省时省力而采取的偷懒行为，而是有计划地将不断更新的知识、技能、经验从互联网上吸收过来，融入自己的知识体系。

当我们以"费曼学习法"的视角展开在线学习时：

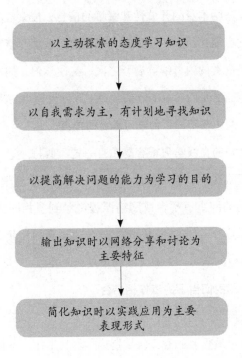

第二十一章　纵向拓展和精进

在费曼看来，一只候鸟为何飞往北方或者飞向南方并不是什么高深莫测的问题，讲述给一位对生物迁徙一窍不通的人士并让他听懂这种现象也不难做到。"困难之处在于，候鸟的迁徙规律其实是复杂的，地球的气候变化，地域生态，鸟类族群的习惯，路线的选择等，这是一门庞杂的知识。"他说，"当你想深入学习这个领域的知识时，真正的难题才刚刚开始，你必须把它当作一个深耕的宝地，而不是一个简单的几句话就能讲完的故事。"

理解新的知识不只是记下基本的原理，而是要将它们纳入现有的知识系统，要充分地掌握内在的规律，成为这门知识的行家里手。像学英语，背上几千个单词只能帮你完成一些初级的对话，却不足以成为英语高手，比如阅读专业的英文著作。这需要一套高效的学习方法，特别是能对知识纵向地拓展和精进。在费曼学习法的简化步骤中，纵向深入知识的内部，是实现对知识深刻理解的必经途径。

大部分时候，学习低效是因为你已经习惯了横向扩展知识和进行增量学习。"横向"和"增量"都是初级学习的标签，只重广度和数量，不重视学习的深度。这种学习会让你获取非常大的知识量，但在学习的质量上却十分低效，从而产生一系列的负面效应：

> 认为学习很辛苦，花太多的时间，消耗太多的精力；
>
> 不知道如何设计学习目标，总是感到迷茫；
>
> 学习时缺乏主动性与持久性，有一定的爆发力，但也容易三分钟热度；
>
> 学习不得要领，没有奏效的学习方法。

第一，纵向拓展。

解决这些问题的第一个原则是在学习中实现纵向拓展。需要注意的是，我们平时遇到的各种表面上看起来"无用"的不相干的知识，其实在最后都能联系起来，互相是有关系的，也就是知识间的桥梁。这意味着我们并不需要对一个问题横向地掌握它所有的知识点，只需要对其中的一两个点集中突破，深入研究，便能举一反三。

例如，你对唐朝的历史很感兴趣，特别想学通从李渊建唐到唐末的整个唐朝历史，然后你制订了一个计划，列出了时间表，又发现这真是一个漫长的过程，足足两百多年的历史呀！难道像流水账一样全部背诵下来吗？就算唐史专家也不可能在两三年内完成这个计划，何况一个业余的历史爱好者呢？这时，你可以使用纵向拓展的学习方法，简化你要学习的唐朝历史，减少要学习的范围——从"关陇集团对唐朝建立的影响"这个知识点学起，重点研究李家与关陇集团的关系、关陇集团对唐初政局的影响等。沿着这条主线学下去，你会发现它就像一根极具黏力的绳子，使你不仅掌握了唐朝的历史走向，还学到了很多富有深度的知识点。

这就是纵向拓展的好处。同样的策略我们也能应用到别的知识上，比如天文物理，重点研究某个星球的重力、运动特点等，逐渐带出该星系的运行规律、其他星球的特征和相互关系等的知识。

第二，学习要有"绿灯思维"。

费曼推崇的"绿灯思维"是：**事无禁止均可为。**当我们在学习中遇到新的观点或者不同的意见时，一定要耐心地倾听，懂得自我反省，从中汲取有价值的信息。这使得我们的学习视野是不受局限的，既看得深，又看得广，拥有开放的态度。

和"绿灯思维"相反的是"红灯思维"，什么是"红灯思维"？就是**自我中心主义。**我们在学习和表达中当感觉到自己的观点、尊严或立场有可能受到别人的挑战时，第一反应不是与对方交换看法、平等沟通，而是充满警惕，加强防卫，关上沟通的大门，拒绝反省。

想拥有"绿灯思维"并不容易，因为大部分人平时都在用"红灯思维"想问题和行事，这包括我、你、他等无数的读者，即便伟大的人物偶尔也不能免俗，也会有以自我为中心的时候。对此，费曼的建议是：**在涉及思想或观点的问题时，一定要懂得区分什么是"我"，什么是"我的想法"。两者并不是一回事。**

"我们经常把别人对自己观点的质疑理解为对我们这个人的彻底否定，当对方和你争论某一个学术问题时，我们的第一反应往往不是去思考是否真的有问题，而是认为对方是在针对我，是在挑衅我。这是不对的。要为大脑点亮一盏绿灯，允许任何相反的观点出现，把这些相反的观点视为一把打开新世界之门的钥匙，让我们通过这道门学到更多、更好的知识。如果我们能这样想，即使一个微不足道的知识点，也能让我们收获颇丰。"

——费曼

第三，学习要"以慢为快"。

真正的高效学习，一定是把知识融会贯通的结果。想达到这样的目的，就不能心浮气躁，而是习惯"以慢为快"。在越来越快的生活、工作节奏和无处不在的学习焦虑中，做到"慢"并不容易，但这是一个必须完成的任务。"以慢为快"就是专注于一个学习对象，把它学精、学通，有了对其核心知识的深刻理解，我们才能100%地运用它，把它转化为自己的本领。

比如教孩子学骑自行车。怎样才算学会了骑自行车？是骑上顺利地从家到达学校，再从学校返回？不是。如果这么简单，任何一个孩子半天的功夫就能顺利地骑上1000米，可遇到不平整的路面，他还能这么轻松吗？所以不能着急，要慢下来。我们要让他把精力放到掌握车的平衡上，在凹凸不平的道路上反复寻找平衡的感觉，直至能掌握平衡，应付种种紧急的情况，才真正是学会了骑自行车。

但是现实中，很多人追求的却是快餐式学习，像"三分钟学会看财报""五分钟学会高难度算法""一小时学会48个音标"等，从技术效率上把学习变成了一种不求甚解、只求"好像已经学会"的快餐行为。对于这种粗制滥造的学习，费曼是坚决反对的。他曾这样讽刺纽约的证券从业者培训班："我知道有一个地方号称两分钟就能让人学会100种兜售股票的技巧，从那里走出来的证券经纪人，就像驾驶着航天飞机的猴子，我不相信他们能把你成功地送回地球。"

以我自身的经历来看，运用费曼学习法阅读一本书时，仅为了制作不足 1000 字的书的知识结构图，我就花了三天时间。然后，根据这张结构图，我一边学习具体的内容，一边做笔记。完成前面的几个步骤后，我要对书的内容再一次进行简化，又花了两天的时间，修正了书的知识结构图。正是因为看起来很"慢"，我打通了许多知识阻塞的地方，让我对书的理解上升到了一个更高的高度。

第四，精进需要"刻意练习"。

知识的精进需要"刻意练习"，但"刻意"二字指的并不是"有目的的针对性训练"，而是提升我们的**"认知视野"**，拓展对知识的**"认知深度"**。就好比下棋，新手下棋时从棋盘上看到的不过是车、马、炮这些具体的棋子，走一步看一步，高手看到的却是整个棋局的走势和所有可能采取的策略，从而在战略层面做出正确的选择。对同一个问题，新手和高手的认知方式截然不同，最终的结果也就有了天壤之别。

体现在学习中，就是放弃对细枝末节的考据，强化对问题本质和关键领域的研究，通过训练，提高我们的认知视野和认知深度。

第一，重点研究问题的本质。

什么是问题的本质呢？举个简单的例子，你要给自己的公司取名字，但缺乏这方面的知识，于是到网上搜索。互联网给了你一大堆的结果，全是教你怎样给公司取名字的，有产品命名法，有地域命名法，有行业命名法，甚至还有卜卦命名法。于是，你如获至宝，把这些文章挨个阅读，一个接一个地尝试。有效果吗？忙碌好几天下来，没有效果，取的名字你都不满意。

前面我讲到过，这种学习和运用知识的方法是在提升技术效率，而不是认知效率，它解决不了你的主要问题。你该怎样做呢？最好的办法是——考虑自己此次学习的目的，不是要学习取名的方法，而是要为公司取一个满意的名字。这关乎认知的深度。按照这个认知，你再进行尝试，就能看到一条快速通道：看看同行业的公司是怎样命名的，结合自己公司的特点取一个相对合理的名字。这就是从问题的本质出发，规划自己的学习路径，可以少走弯路，迅速达到目的。

第二，大量的持续练习。

《学习之道》（*A Mind for Numbers*）的作者、美国工程学教授芭芭拉·奥克利（Barbara Oakley）认为，一个人想成为某个领域内的顶尖高手不可能存在什么捷径，唯一的办法就是对于核心技能有着更深刻的理解。

奥克利在学校时数理成绩就非常差，经常垫底，但为了保住自己的工作，她不得不面对大量的数学知识，寻找克服恐惧和提高学习效能的办法。她曾经花了半个多月的时间，把几十本数学专著的上千个问题抄写下来，又花了 30 天的时间，将这些问题分门别类地整理成十几个 PPT，然后反复研究五遍以上。随后，她又把自己的心得讲给数学优秀的同学、同事等，请他们给出意见，直到能轻松自如地阐述这些数学问题。最后，她又再次简化了这些知识，把对工作最重要的部分抽离出来，持续地练习和温习，完全改变了自己的数学能力。

事实上，大量的持续练习贯穿于费曼学习法的全程。要想深入地了解一门知识，精通一个领域，有些工作是无法省略的。现在，我仍然保持着每天阅读两千字的习惯，就是为了保证自己在读书学习时的敏锐度，以及拓展知识深度的能力。

第三，从自己感兴趣的地方入手。

兴趣永远是学习最强大的驱动力，也是保证学习效能的最好用的工具。这一点无需赘述。为了提高学习的效率，挖掘知识的深度，我们可以从自己感兴趣的领域或知识点入手，以点带面，效果往往非常好。

例如，你正在学习演讲，读了很多教授演讲的书籍，费曼的《发现的乐趣》你也读过，潜心研究怎样提高自己的演讲技巧。平时，你经常被一些感人的事迹打动，搜集了大量的好故事。但是，尽管你早已对演讲类的知识倒背如流，也形成了自己的知识框架，实战中却仍然表现笨拙。这时你就要思考一下，很多演讲之所以能够打动听众，是因为演讲的背后有一定的规律可循。

我们的口才不仅源于演讲的技巧，更源于对人性的认知。

组织语言的能力，首先取决于我们对一个问题的关注和兴趣。

　　要把感情完全投注于演讲之中，以情动人，才能以理服人。

对演讲的技巧有了基本的了解之后，也掌握了语言、肢体表达的技能，更重要的一项工作就是发现那些**你特别感兴趣的话题**——这些话题如同泄洪的堤坝，一旦打开，就像洪水喷流而出，有说不完的话，讲不完的观点。如果你特别喜欢演讲，想从事这方面的工作，那就要找到和锁定这些兴趣，而非单纯地搜集那些干巴巴的素材。

开发兴趣比背熟原理重要。以兴趣为起点去学习相关的知识，阅读相关的书籍，理解相关的概念，才能让自己以较快的速度成长，真正地学通和学精一门知识，并把它应用于我们的生活和工作中。认识到这一点，会让你对学习的本质有更为精确的认知。

第二十二章　深度挖掘，实现知识的内化

费曼认为，只要找到窍门，学习也许很简单，但把学来的知识内化为自己的一部分任何时候都不容易。平时有很多人经常问我："老师，我明明已经学了这些知识，解决问题时为什么还是没有任何的思路？""我按照您说的步骤对知识有了深入理解，也做了简化，产生了一定的框架，可总觉得这些知识与我过去所学存在冲突，感觉怪怪的。"你看，如果不能实现知识的内化，无论你在学习中付出了多少，都会遇到这个坎。

知识的内化，本质上是将外部的智慧吸收为自身生产力的过程，与原有的知识架构完美融合，获得 1+1>2 的效果。

我们对比一下有些学习高手，他们学到一个知识后，为什么就可以举一反三地解决很多实际问题呢？比如，我的一位朋友学

到了投资理财的知识后，不仅在投资的战场上略有盈余，还将家庭的财产配置得很好。以前是他的妻子管钱，现在则由他担任家庭的财务总管。这是十分典型的学有所成和学有所用，能将知识转化为现实应用的能力，为生活和工作提供创造力。

对于大多数人，他们之所以在解决问题的时候想不起应该使用哪些知识，或者在学到知识后不知道应用于哪些场景，并不是他们学得不好，而是他们所学的知识和遇到的问题之间是脱节的，有一项工作没做好，未能将知识按需分配到它们该去的地方，没能成为自身智慧的一部分。

还有人说："我真的不清楚如何筛选有用的知识，也不知道什么知识对工作有大帮助，更不用提将它们吸收内化了。"许多付费学习的人便属于这种情况，他们花钱学到了大量非常复杂的知识，却贪多嚼不烂，这些碎片化的信息未经整理和思考，始终游离于自己的知识体系和需求之外。这种学习即便重复一万次，也无法让你的人生有质的提升。

形成自己的知识体系

什么是我们自己的知识体系？通俗地说，就是我们可以将零碎分散、相对独立的知识和概念吸收转化为自己的东西，赋予它们逻辑，并且有效地运用这些知识。当你拥有自己的知识体系以后，解决问题时就可以形成自己的方法论。在学习时，也能有目的地挑选正确和满足自身需求的内容；吸收知识时，也能做到合理地筛选、归纳和整理，使不同来源、观点的知识为己所用，发挥应有的作用。

为了实现这个目标，我们需要养成对知识**深度挖掘**和**深度学习**的习惯。在深度挖掘和深度学习时，最好使用多种工具，比如重要内容摘录、画出知识图谱、标记核心要点、内容分类、概要总结等。有人会问："如何才能满足'深度'这个要求？"这的确是一个令人疑惑的问题，但它并不难实现。我们可以用几个简单的标准来进行评估：

技能的延伸和强化。让学习的过程不仅是解决一个问题，而是能够开拓新的领域，并且创造新的知识。比如，通过学习英语不但可以阅读一本英文小说，还具有了将中文小说翻译成英文版本的能力。

对知识的前瞻性理解。深度挖掘知识的核心要素和与其他问题的内在联系，掌握基本的原理和规律，然后提出前瞻性的见解。比如，当你学习人工智能课程时，学有所成的同时对人工智能的发展前景是否有自己不俗的预见？

对知识的系统性强化。经过富有深度的学习，我们能打通不同领域的界限，优化自己的知识系统，开阔视野，从各个层面提高思考问题、解决问题的能力。比如，学习一门专业知识时，通过做笔记、搜索、归纳和深度理解，我们在

STEP SIX
简化和吸收   **193**

这个过程中能修补自己其他领域的不足，完善已有的知识系统。

费曼五条重要的建议

费曼曾对自己的学生说："从体系化的角度看待知识时，我们比碎片化的学习获得了无数的好处，其中最大的好处是能看清不同知识的内在层次和结构关系，方便我们进行总结和升华，然后对外传播知识。"

这就是知识的内化。对此，费曼提出了五条重要的建议：

第一，使用笔记记录知识的核心要素。

学习时要养成记笔记的好习惯，把重点内容尤其核心的要素记录下来。这既帮助我们在后面对知识的加工，也是一种辅助记忆的手段，能加深我们对知识的印象。

第二，一定要大幅度地整理所学的知识。

"大幅度"的定义是，我们对输入进来的信息和资料进行一次深层次和全面的过滤，删除不需要的内容，并把高价值的知识以一种严谨的逻辑整理出来，赋予清晰的层次感。

第三，对知识进行结构化的归纳与理解。

通过自身的角度和需求，展开脑力活动，以结构化的方式对知识进行归纳与理解，形成自己的见解，并用精准的语言重新阐述。

第四，输出和发布自己所理解的知识。

把归纳整理好的知识发布出去，或者讲述给别人，收取人们的反馈。这么做既验证自己的理解，也能在公开或非公开的沟通中听取其他人的想法，补充自己没想到的地方，开阔视野。

第五，对知识进行简化、吸收和记忆。

最终，对学习和输出知识所得的"精华版本"进行简化、吸收和记忆，产生自己的知识体系，创造新的知识，并且为己所用，转化为长时记忆。到这时，我们的学习才算真正高效地完成。

对于这五条建议（五个步骤），费曼格外强调它们的相互关系。从第一步到第四步是递进和逐层依赖的关系，而第五步是我们的最终目的。即，我们在运用费曼学习法的过程中所学到和创造的知识最终都是以分享和帮助到别人并形成一个属于自己的知识体系为目标的。我们也应该致力于让晦涩高深的知识易于理解，在更广泛的人群中普及。这正是费曼推崇"以教代学"的目的之一。

第二十三章　第三次复述

费曼说："我们所有形式的学习都是为了达到三个目的：第一是解释问题，第二是解决问题，第三是预测问题。"本书倡导的第三次复述便是为了帮助读者在学习到一门知识后，可以同步达现这三个目标，能够使用自己所学的知识解释问题、解决问题和预测问题。

请记住"预测"这个词，它对我们的学习应该具有无比神圣的意义，是所有的学习可以达到的最高境界。这意味着我们明确了对待知识的态度——**知识并非只是拿来搬开脚下的石头，或让你明白过去，而是帮你读懂未来。**

建立原创观点

如果不能建立自己的原创观点，就无法称之为"100 分的学习"。美国著名心理学家阿尔伯特·班杜拉（Albert Bandura）是社会学习理论的创始人，他亦被称为"认知理论之父"。1977 年，班杜拉提出了"自我效能理论"，用来解释人们在特殊的情景下产生某种动机的原因。这个理论的核心观点是，一个人对自己完成某方面工作的能力总是会有一个主观评估。这个评估的结果将直接影响他接下来采取什么样的行动，也就是影响他的"行为动机"。

比如，当你学习英语到一定的阶段时，你对自己的学习成果一定会有一次自我评估："我记住了多少单词？我能听懂口语对话吗？考试的成绩是否令我满意？与别人进行英语交流的效果如何？我能学好英语吗？"如果这个评估是正面的，种种迹象显示你非常适合学习英语，你继续学习的动力将更加强烈，英语成绩也会更好；但如果评估是负面的，你感觉自己的英语水平很拙劣，怎么学都赶不上别人，这时就会产生一种"我不适合学习英语"的悲观情绪，有很大的可能会放弃学习。

这就是"自我效能理论"的重要意义。假如你能积极地评估自己的学习效能，深入持续地学习下去，就可以逐步地在所学知识的基础上产生自己的"原创观点"。这正是我希望看到的。班杜拉认为，想对知识建立原创观点，除了直接学习书本上的内容外，更重要的还在于我们要通过对世界的观察去进行**间接的学习**。

人类最重要的知识大部分是通过观察学习获得的。

善于观察世界的 10% 人贡献了我们所学知识的 90%。

在班杜拉的社会学习理论中，"观察学习"是一个重要的概念，这一概念也被称为"替代性学习"（vicarious learning）。即：**通过对学习对象的行为、表征、演化和结果等进行观察，搜集信息，获取宝贵的要素，再演绎出新的知识。**这一观点与费曼的思路不谋而合。在费曼看来，所有的事物都是我们的观察对象，这是一个自由定义。物理学、化学、数学、英语、工程学、电子学，乃至未来的科学，从观察中我们都能获得某些新的创造，覆盖旧的知识，为学术研究、社会生活等提供更有依据的标准。而且，最重要的是在观察学习中我们要建立自己原创的观点。

形成有影响力的新知识

无论何时、何事，我们的重大决策都应该只在自己的能力圈中进行，即便那是一个看起来无比美好的机会。学习也是如此。我们在知识中的影响力总是而且必然出现在自己擅长的领域，对这个领域的研究是由我们真正精通并且感兴趣的知识组成的。在这个令自己感到舒适的能力圈中，我们做得要比大部分人更好。这是我们的自留地，是能完全发光发热的地方。简言之，你必须基于自己的兴趣去开发学习的能力，创造有影响力的知识。

在第三次复述中，对于学习者而言，这是一项至关重要的任务。我深知学习是一个人终生的功课，也常把这个事实告诉学生。不管你如何践行费曼学习法，或怎样理解学习的对象，你对人生成长的向往永远是最重要的。你要尽一切可能发现那个最优秀的自己，找到那个最能迸发想象力和激情的区域，然后投入全部。

但是，我们不得不承认，很多时候人都是懒散的。最勇于学习和永不服输的人也偶尔会看到自己内心的退缩，人的本性追求安逸与无知。因为安逸和无知能让人感觉到一种廉价的快乐。所以，当我们谈到"具有影响力的知识"这个问题时，一定有很多人不甚感冒。然而，如果你已经下定决心想在学习这条道路上取得真正的成就，那就要面对这个现实，制订一个与你的目标相匹配的计划，去创造知识，而不是对知识萧规曹随。

> "我们要渴望成长，要享受学习，了解这个世界的一切，但更要养成创造的习惯。我们要在学习中创造，要在阐述知识的过程中产生属于自己的影响力。"
>
> ——费曼

知识的影响力总是直接来源于我们对学习的热情。2016 年，斯坦福大学的汉蒂姆教授（Handy Phyllis）及其团队的一项研究发现，在学校教育和自主学习的所有可控的变量中，"热情"是造成学生的学习结果最大差异的因素。

第一，对斯坦福大学的自发式学习小组的调查表明，对某一领域共同的学习热情是他们聚集在一起的最大因素。这让他们每个人从中受益匪浅，取得了巨大的成果。

第二，对一个话题的热情程度决定了你会为之付出多大的努力，而努力的程度又影响了你对这门知识的挖掘深度，最终塑造你在相关知识学习中的等级。

第三，热情也从根本上决定着你的创造力和你对新知识的理解。如果没有热情，你除了背诵和功利的应用之外，对学习可能毫无兴趣。因为你只是为了解决一个问题来学习，而不是为了改造未来。

汉蒂姆说："热情很难测量，但我们看到它时一定会知道。热情是一切学习的精髓，它也许不能帮助你一直获胜，但它总是能让你向前发展，驱动你比过去更加理解这个世界，掌握更多的知识。"这样的说明恰当而又深刻，为我们揭示了创造性学习的本质。简而言之，当我们对所学的内容进行第三次复述时，最终的目的就是为了检验我们对知识的创造能力，形成我们自己在这方面的影响力。

第二十四章　费曼技巧：简化原则

现在，学习焦虑让很多人的生活陷入重复的低效状态中，他们从早晨到晚上都在不停地"尝试学习"，希望抓住一切碎片时间充实自我。早晨闹钟一响，便打开知识软件倾听付费课程；地铁上，利用有限的时间到网上阅读大 V 的经验分享；中午用餐时间和下班的路上，参加直播活动，学习各式各样的知识。

有一位朋友告诉我，他在六个知识在线学习的平台订阅了十几个专栏，涵盖了财经、管理、情感、美食、文化、地理等领域，每天接收的信息量都足以写一本书。这些信息或说知识让他无比充实，当天只有学完订阅的所有专栏后，才能舒舒服服地进入梦乡，否则就睡不着觉。因为他觉得自己学了很多东西，有一种终于不再焦虑和恐慌的充实感。

他这两年对学习感到很焦虑，生怕落后于时代，跟不上竞争者的步伐。这当然可以理解，时代的变化这么快，人人都担心自己的知识不够用，怕别人懂的东西自己不懂，怕被社会淘汰，也对充满不确定性的未来感到恐惧。但问题是，当你学到了这么多的知识时——假设它们对自己的确有用——怎样保证自己能够充分地吸收和利用它们呢？如果学习的效能很低，学到的知识如同过眼云烟，留不住多少，学习又有什么价值呢？

所以，费曼技巧中最重要的一步就是简化并吸收所学的知识。只要做到了高效能的吸收，我们才能从根本上化解知识焦虑，也才能跟紧这个快速发展的时代。需要强调的是，费曼的简化原则中不包括"短时间内掌握某种技能"这种功利的目的，也不会提供在学习中成功的捷径。他唯一能向我们承诺的是，通过有效的简化，我们能全面而深入地理解自己的学习对象，将**"有用的知识"**转化为**"自己的知识"**。在这个基础上，你就能无所不为、无所不能！

即——我们不但要做知识的简化，还要借此升级自己的思维，开阔思考的视野，提升自己的认知。只有如此，我们的知识和技能才不会原地踏步，才能真正从终生的学习中受益，达到提高自我的目的。

费曼认为，如果你不懂得简化所学的知识，就等于一直在盲目而缺乏方向地收集"碎片化知识"，贪多不精，只积累了数量却做不到成体系地开发和利用。在这种错误的学习思维主导下：

第一，你学的只是一堆空洞的结论而非丰满的逻辑。

第二，你所做的简化过程删除了最重要的推演环节。

第三，你的学习把多元化的辩证分析变成了一元化的立场总结。

第四，你只记住了表面的事实，没有发现背后的原理。

长此以往，这种学习思维将彻底、完全地主宰你的行为模式，影响你的生活和工作：

第一，你的知识不成体系，因此很难系统地、宏观地思考问题。

第二，你看待问题时容易简单化和片面化。

第三，你的思维与视野容易狭隘，看不到长远的可能性。

第四，你很难进行复杂、独立和具有深度的思考。

就像苹果公司创始人史蒂夫·乔布斯（Steven.PaulJobs）说过的一句话："有时候你得到的知识根本称不上知识，充其量只是一堆信息。"这就是为什么许多人经常感叹："尽管学了这么多的知识，却发现就像从没学过一样，因为无法对现实生活起到帮助，我还是那个平庸的我。"究其根源，是人们没有正确地对知识进行成体系的简化和吸收。

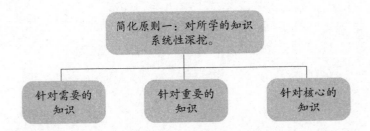

简化原则一：对所学的知识系统性深挖。

针对需要的知识　　　　针对重要的知识　　　　针对核心的知识

　　无论你的学习速度有多快，你都不可能掌握所有对你有帮助的知识。哪怕是万分之一，这个目标也是遥不可及。有一项数据表明：人类文明从直立行走到 2003 年的数百万年间，创造的信息共有 5 艾字节，相当于 50 亿部 1G 大小的电影。但到了 2010 年，人类创造 5 艾字节的信息只需要两天；到 2013 年，这个时间是 10 分钟；到 2019 年，这个时间已经变成了小于 10 秒钟。

　　知识的增加速度超乎想象。这是我们必须承认的一个事实，无论你的精力有多旺盛，大脑的存储能力有多强，时间有多充裕，你都不可能赶上知识的增长速度。因此，只注重数量和速度的碎片化学习对我们早已毫无帮助——也许有一点点浪费光阴的"价值"。在今天这个时代，最有效的学习不再是机械式的记忆、重复高强度的练习和将时间开发到极致的魔鬼式学习，而是严格地遵循简单又直接的费曼学习法，尤其是最后一个步骤：简化，尽可能地简化——**只学习你需要的，只学习对你重要的，只学习知识之中"最核心的知识"**。在第一个原则中，要紧紧地抓住这三点，对所学的知识进行系统性的深挖。

简化原则二：形成自己的
知识体系

成为某个领域
的专家

专注和针对性

建立自己的
知识体系

费曼向来不主张追求数量的"贪多求全"的学习，他曾经嘲讽地说："如果有一个人愿意拿自己有限的生命去追逐无限的知识，并且还为此感动，那他纯粹就是一个无知的妄人。"即使不谈论今天，早在几十年前，社会的分工也早已经极其精细，每个领域都如同一架精密的机器，而每个"零件"都代表着一门复杂的学问。最有效率的学习必须也只能是让自己成为某一个领域的专家，而不是试图样样精通，成为全才。这个世界没有全才。

如果你在学习的过程中一味地贪多求全，不舍得删除、整理和归纳，就像吃饭积食一样，不但肠胃受不了，最终整个身体都会不堪重负。你难以形成自己的知识体系，也无法把其中的一些知识开发到极致，只会让你对知识的匮乏感到更加焦虑和惶恐。

只要用心观察我们就会发现，真正在社会上取得了卓越成就的那些优秀人物，他们都是在自己擅长的某个领域内专注地开发出了自己的天赋，他们的学习具有很强的针对性，能够全神贯注地做好自己的事，平时耐心地厚积薄发，机会来临便能一鸣惊人。

因此，你不要再羡慕那些在不同的领域取得成功的人，而要学习他们的做法。只要运用好费曼学习法的简化原则，高效率地吸收和转化知识，在你擅长的领域内拥有了你自己的知识体系，达到了一定的专业水平，你也能实现令人仰望的成功，而且做得比他们还要好。

后　记

亲爱的读者，当您即将读完本书，结束这段旅程时，有一个关于学习的规律需要我们永远地记住：

主动的学习远比被动的学习重要；系统的学习远比碎片式的学习重要；向内的学习远比向外的学习重要；专业的学习远比跨界的学习重要。

在知识焦虑和"再学习"流行的时代，本书通过对费曼学习思想的阐释想表达的一个关键原则就是：不要指望知识可以速成。我并不反对在线学习或从付费平台获得知识时以碎片化的方式提高自己的能力，追求快餐式的知识应用，但我反对缺乏逻辑与系统的学习方法。如果你没有找到正确的学习方法，就会像一个段子中所说：

　　你听着创业讲座，看着名校的公开课，上知乎参与着各种高端话题的讨论，对互联网大佬的创业史如数家珍，逢人便谈各种先进的思维。但你每天都在辛苦地挤地铁。

　　这肯定不是我们希望的生活，也不是我们学习的目的。我们想改变身处的环境，想逆转自身的命运，学习应该是助人向上的工具，而不是维持原状的枷锁。

　　在本书的最后，我们再总结一遍费曼学习法的核心思想和应用原则。费曼曾经向普林斯顿大学数学系的所有教授发起挑战，他说："不管是多么复杂难懂的数学知识，只要你们使用简单的术语描述，我就一定会算出正确的结果。"听起来这个要求一点也不高，但很多教授却在实践中发现：这太难了。因为这意味着自己必须对相关的知识彻底地理解，能够重新组织一套语言进行精确的描述。这就是费曼学习法的精髓。

　　从中国古代的教育思想中，我们也能寻找到相似的方法，即"教学相长"的教育原理。最好的学习，永远是在输出的过程中实现，而不是单向的输入。首先确立一个学习的目标，锁定你的方向，然后认真地理解它；其次，用简洁的语言讲述给别人听，通过不断的复述进行对比，达到自己满意的程度。你可以设想一个模拟教学的场景，想象一下自己正在教授一位初次接触这个概念或知识的人，应该如何让他很快就能听懂呢？当你采取这种方式时，你会更加清楚地意识到对这个概念或知识自己究竟理解了多少，还有哪些地方模糊不清或存在误解，回过头去检查、反思和修正；最后，对所学的知识进行系统化的简化和整理，达到吸收和内化的目的。

在 1997 年出版的《别闹了，费曼先生》（*Surely You're Joking, Mr. Feynman!*）一书中，费曼提到了自己的父亲告诉他的一个道理："当你看到一只鸟时，即便你知道它的名字，对它也仍然一无所知。因为你只是知道了人类赋予它的名字，仅此而已。至于它在夏天横跨整个国家并飞行上万英里时是怎样辨别方向的，没有人知道是怎么回事。"他的意思是，很多真正的知识往往藏在表象的背后，需要你做出解释。如果你能向人们解释明白一只鸟如何掌握飞行的方向，才说明你真正了解了这只鸟，否则不过是人云亦云。

在运用费曼学习法的过程中，我们经常会感到卡壳。这在一般的、高难度的学习中是常见之事。当学习卡壳时你还会如往常般暂时放弃吗？费曼告诉我们，不要放弃，而是对卡壳的部分重点理解，用精练的语言概括和阐述出来。多尝试几遍，直到你对它足够理解并能通俗地解释这一部分为止。请相信，这不比死记硬背容易，但效率和结果一定胜出百倍。

真诚地希望本书能为读者提供一定的参考价值。